粤语会话一月通

yǔt yú wuǐ wʌá yt yǔt tòng

张炳昆 著

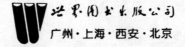

世界图书出版公司

广州·上海·西安·北京

前　言

　　粤语，即广州话，也叫白话和广府话，是我国著名的方言，是"两广"及港、澳地区人们日常使用的主要语言，在海外华人中亦广为使用。随着我国改革开放的深入发展，我国内地与"两广"、港、澳、台及海外华人的往来日益频繁，粤语已成为当今社交活动中较有影响的语言之一。在内地的一些城市，许多企事业单位还把懂粤语作为优先聘用人才的条件之一，有些职业学校也开设了粤语课。

　　《粤语会话一月通》是作者在多年的粤语教学实践中为职高学生学习粤语口语和用粤语朗读书面文章而编写的教材。主要内容有：

　　（一）惯用口语。这部分是学习和训练讲粤语口语的基本语言素材，按口语词语内容由浅入深，由简到繁，分为四个单元，共 18 课，100 个会话句组。每组会话均有注音及书面文对照。每个单元后都附有约 60 分钟题量的复习测试题，供复习或自测参考。

　　（二）粤语常用词汇的惯用口语和书面语对照。包括生活中常用代词、形容词、动词、名词等 300 多个，分别注以粤语读音。

　　（三）常用字的注音。掌握一定数量字的读音是朗读书面文的基础。本部分共选编了 2000 余个常用字，按其粤语读音，把韵母（元音）相同的字归类注音。

　　注音有助于正确地自学和朗读。本书采用汉语拼音与英

1

语国际音标相结合的方式注音,与国际通用拼音符号接轨,学生能在模仿老师(录音带)读音的基础上很快学会粤语发音,音调也比较正确。尤其对已掌握了汉语拼音和国际音标拼读方法的学习者,即使在没有粤语语言环境的情况下,也可以按照书中的注音学好粤语,无师自通。这是本书所采用的注音方法的一个显著特点。

本书从作者多年粤语教学实践中提炼而来,注重联系内地人学习粤语的特点和实际,收集粤语典型口语句型,力求通俗而实用,少而精,真正做到"粤语会话一月通"。愿本书对粤语学习者有益。

由于本人水平有限,错漏之处,欢迎批评指正。

张炳昆

1997 年 9 月

目　录

2

一、注 音 符 号

注音是有助于正确地自学和朗读的一个有效方法。由于粤语的音素较多，只用汉语拼音符号还不能满足粤语注音的需求。采用对部分英语国际音标进行适当处理，如让爆破音失去爆破，再与汉语拼音相结合的方式，不仅能较确切地完成粤语读音的注音，而且非常容易学习和掌握。尤其对粤语中繁杂且难以模仿的音调，也可以用汉语拼音的四声进行拼读。为了便于学习，本书注音中的平声（⁻）皆不标注符号，如"够"gāo，仅注为 gao。

（一）注 音 符 号

1. 汉语拼音：

b　p　m　m　f　　d　t　n　l

g　k　h　　　j　q　x

z　c　s　　　zh　ch　sh　y

a　ai　ao　an　ang　ei　i　ie　iu

o　ong　ou　u　ua　uai　uan　ui　un

uo　ü　üe　üei　ün

2. 国际音标（结尾的 p、t、k 均失去爆破）

au　ek　im　in　ip　it　ɔ　ie　me　ne

nɡ　ɔp　ɔt　ʌ　ʌi　ʌm　ʌn　ʌp　ʌt　ut　ɡ

3. 汉语拼音和国际音标组合：

am　ap　aʌ　eŋ　ieŋ　iet

ɔu　uɔ　uʌi　uʌn　üt　əang　ng

（二）注音符号读音参考

1. 汉语拼音：

（1）声母

b	p	m	f	d	t	n	l
玻	坡	摸	佛	得	特	讷	勒

g	k	h	j	q	x
哥	科	喝	基	欺	希

z	c	s	zh	ch	sh	y
资	雌	思	知	蚩	诗	于

（2）韵母

a	ai	ao	an	ang	ei	i	ie	iu
阿	哀	熬	安	昂	矣	衣	耶	忧

o	ong	ou	u	ua	uai	uan	ui	un
哦	翁	欧	乌	蛙	歪	弯	威	温

uo	ü	üe	üei	ün
窝	迂	约	迂欸	晕

2. 英语国际音标：

au	ek	im	in	ip	it	ɔ	iɛ
阿敖	欸克	亦姆	印	亦普	亦特	恶	恶衣

ɔm	ŋɛ	ŋɛ	ɔɛ	tɛ	ʌ	ʌi	ʌm
恶姆	哦嗯	哦嗯	恶普	恶特	（儿）阿	哎衣	（儿）阿姆

ʌn	ʌp	ʌt	ut	ŋ
（儿）阿嗯	（儿）阿普	（儿）阿特	屋特	嗯唔

3. 汉语拼音和国际音标组合：

am	ap	aʌ	eŋ	ieŋ	iet	uc
阿姆	阿普	阿（儿）阿	矣映	夜嗯	耶特	恶屋

uɔ	uʌi	uʌn	üt	əang	ŋŋ
屋恶	乌哎	乌（儿）安	芋特	儿昂	唔鄂

说明：1. 本书用以注音的中文字，均按普通话语音拼读。

　　　2. 注一个音标的两个或三个文字，应拼读成一个音。
如 ɔu "恶屋"，只读成广州话"屋"一个音。

　　　3. ɑ 和 ʌ 均有"阿"的音，只是 ɑ 音长，ʌ 音短促，
且发音口形略小于 ɑ；o 和 ɔ 均有"哦"的音，o
音稍长，ɔ 音短促。

　　　4. 在元音后的爆破音，如 ip、it、ek 等中的 p、t、k
均失去爆破，即在拼读时只作欲读其音的口形而
不读出声音来。

(三) 注音符号对比练习

1. ɑ – ɑp

阿…鸭	阿伯	鸭毛	价…甲	价钱	甲等
ɑ　ɑp	ɑ bʌ	ɑp mŏu	gɑ　gɑp	gɑ cĭn	gɑp dáng

那…纳	那里	纳税	诈…杂	诈骗	杂志
ná nǎp	ná léi	nǎp shui	zhɑ zhǎp	zhɑ pin	zhǎp zi

2. ɑ – ɑʌ

霸…八	霸权	八哥	茶…察	茶叶	警察
bɑ bɑʌ	bɑ kŭn	bɑʌ gò	cǎ cɑʌ	cǎ yĭp	géŋ cɑʌ

化…发	化学	发明	蛙…滑	青蛙	滑水
fɑ fɑʌ	fɑ hŏ	fɑʌ mĕŋ	wà wǎʌ	cèŋ wà	wǎʌ shúi

3. ɑi – ʌi

猜…凄	猜疑	凄凉	街…鸡	街道	鸡啼
cɑi cʌi	cɑi yĭ	cʌi lĕɑŋ	gɑi gʌi	gɑi dòu	gʌi tǐ

态…替	态度	替代	怪…桂	奇怪	桂花
tɑi tʌi	tɑi dòu	tʌi dŏi	guɑi guʌi	kĕi guɑi	guʌi fà

4. ɑm – ʌm

惨…渗	惨案	渗透	鉴…禁	鉴定	禁止
cɑm sʌm	cɑm ɔn	sʌm tao	gɑm gʌm	gɑm dĕŋ	gʌm zí

蓝…淋　蓝天　淋水　　衫…深　衫裤　深夜
lǎm lʌ̄m　lǎm tìn　lʌ̄m shuí　　sàm sʌ̄m　sàm fu　sʌ̄m yīe

5. an – ʌn

办…笨　办法　笨拙　　艰…根　艰苦　根本
bǎn bʌ̄n　bǎn faʌ　bǎn jüt　　gàn gʌ̄n　gàn fú　gʌ̄n bún

弯…温　弯曲　温暖　　关…军　关心　军队
wàn wʌ̄n　wàn kòu　wʌ̄n nǚn　　guàn guʌ̄n　guàn sʌ̄m　guʌ̄n duí

6. ao – au

秋…抄　秋天　抄写　　究　教　究竟　教训
cào càu　cào tìn càu sié　　gao…gau　gao géŋ　gau fʌ̄n

购…靠购买靠山　　候…校　候车　校长
kao　kau kao mái kau sàn　　hǎo　hǎu　hǎo cìe　hǎu zhəāng

7. au – ou

拗…澳　拗断　澳洲　　爆…暴　爆炸　暴动
aú ou　aú tǔn　ou zhào　　bau bou　bau zha　bou dǒng

交…高　交通　高山　　闹…努　闹钟　努力
gàu gòu　gàu tòng gòu sàn　　nǎu nǒu　nǎu zhòng　nǒu lěk

8. ei – ie – iet

碑…啤　碑文　啤酒　　记…嘅　记者　你嘅
bèi biè　bèi mʌ̄n　biè zháo　　gei gie　gei jié　néi gie

味…咩　味道　羊咩　　期…剧　期待　京剧
měi miè　měi dǒu yəǎng miè　　kěi kiět　kěi dǒi　gèŋ kiět

9. ek – it

迫…必　迫害　必定　　激…结　激动　结果
bèk bit　bèk hɔ̌ī　bit děŋ　　gèk git　gèk dǒng　git gúo

力…猎　力量　猎枪　　式…泄　式样　泄气
lěk lǐt　lěk lǎng　lǐt cæ̀ang　　sèk sit　sèk yəǎng　sit hei

10. eŋ – əang

清…昌　清楚　昌盛　　兄…香　兄弟　香花
cèŋ cæ̀ang　cèŋ có　cæ̀ang seŋ　　hèŋ hæ̀ang　hèŋ dɒ̄i　hæ̀ang fà

灵…良　灵活　良心　　英…央　英雄　中央
lêŋ　lêaŋ lêŋ wǔt　lêaŋ sʌm　　yèŋ　yêaŋ yèŋ hôŋ　zhòŋ yêaŋ

11. i – it – ip

次…切…协　　次要　　切菜　　协定
ci cit hip　ci yiu　cit cɔi　hip dêŋ

志…浙…接　　同志　　浙江　　接力
zi zit zip　tôŋ zi　zit gɔŋ　zip lêk

私…泄…涉　　私人　　泄漏　　涉水
sì sit sip　sì yʌn　sit lêo　sip shuí

12. im – in

剑…建　刀剑　建设　　险…显　危险　显示
gim gin　dòu gim　gin cit　　hím hín　ngʌi hím　hín sǐ

甜…田　甜菜　田地　　严…原　严格　原来
tìm tìn　tìm cɔi　tìn dêi　　yìm yìn　yìm gʌ　yìn lôi

13. n – ng

那…牙　那里　牙齿　　南…癌　南洋　癌症
ná ngǎ　ná léi　ngǎ cí　　nǎm ngǎm　nǎm yêaŋ　ngǎm zheŋ

耐…外　耐心　外交　　糯…饿　糯米　肚饿
nòi ngòi　nòi sʌm　ngòi gòu　　nô ngô　nô mʌi　tóu ngô

泥…艺　泥灰　艺术
nʌi ngʌi　nʌi fùi　ngʌi shùt

14. o – ɔ

播…博　播送　博士　　错…戳　错误　戳穿
bo bɔ　bo shong　bɔ sǐ　　co cɔ　co ň　cɔ chùn

萝…乐　萝卜　快乐　　过…国　过去　国家
lô lɔ　lô bʌ　fai lɔ　　guo guɔ　guo hüei　guɔ gʌ

15. ong – ɔŋ

冬…当　冬季　当心　　封…方　封锁　方便
dòng dòŋ　dòng guʌi　dòŋ sʌm　　fòng fɔŋ　fòng só　fɔŋ bìn

公…江　公司　江山　　通…汤　通知　汤水
gòng gɔŋ　gòng sì　gɔŋ sàn　　tòng tɔŋ　tòng zì　tɔŋ shuí

16. ɔ－ɔu

恶…屋　恶霸　屋企
ɔ　ɔù　ɔ ba·ɔù kéi

夺…督　夺取　督促
dú dɔu　dú chú　dɔu chɔu

落…录　落车　录音
lɔ　lɔu　lɔ ciè　lɔu yʌm

作…竹　作业　竹笋
zhɔ　zhɔu　zhɔ yíp　zhɔu sʌn

17. ɔm－ɔn－ɔŋ

暗…岸…肮　暗示　岸上　肮脏
ɔm　ɔn　ɔ̀ŋ　ɔm sĭ　ɔn shǎang　ɔ̀ŋ zhɔ̀ŋ

感…赶…讲　感情　赶车　讲台
gɔm gɔn gɔŋ　gɔm cěŋ　gɔn ciè　gɔŋ tɔĭ

含…汗…杭　含笑　汗水　杭州
hɔ̆m hɔ̆n hɔ̆ŋ　hɔ̆m shiu　hɔ̆n shuí　hɔ̆ŋ zhào

18. ʌ－ʌt

北…笔　北京　笔直
bà bʌt　bà gèŋ　bʌt zěk

黑…乞　黑板　乞丐
hà hʌt　hà bán　hʌt ŋĭ

墨…蜜　墨水　蜜蜂
mʌ̆ mʌ̆t　mʌ̆ shuí　mʌ̆t fòng

则…质　原则　质量
zà zʌt　yin zà　zʌt lěang

19. ʌt－ʌp

漆…辑　油漆　编辑
cʌt cʌp　yǒo cʌt　bìn cʌp

桔…急　桔仔　紧急
gʌt gʌp　gʌt zʌí　gán gʌp

失…湿　失败　湿热
sʌt sʌp　sʌt bǎi　sʌp yĭt

日…入　日本　入边
yʌt yʌp　yʌt bún　yʌp bín

20. u－ut

副…阔　副业　开阔
fu fut　fu yíp　hɔi fut

路…律　路程　律师
lŭ lŭt　lŭ cěŋ　lŭt sì

舞…没　舞台　没收
mú mŭt　mú tɔ̆i　mŭt shào

湖…活　湖泊　活动
wŭ wŭt　wŭ pʌ　wŭt dòng

21. ui－iu

杯…标　茶杯　标准
buì bìu　cǎ buì　bìu zhŭn

对…调　对立　调动
duì diu　duì lʌp　diu dòng

退…跳　退后　跳高　　　岁…笑　岁月　笑话
tui tiu　tui hǎo　tiu gòu　　shui shiu　shui yǔt　shiu wá

22. ün – un

串…询·串联　询问　　　卷…管　试卷　管理
chün chün　chün lün　chün mǎn　gün gün　si gün　gün léi

联…伦　联合　伦敦　　　算…顺　算数　顺利
lün lün　lün hǎp　lün dùn　shün shun　shün shou　shun léi

二、粤语口语会话100句组

第一课　你 叫 乜 嘢 名
dʌǐ yʌt fo　nei giu mʌt yǐe miěŋ
你 叫 什 么 名 字

1. ○ 您 好　　欢 迎　　　请 坐　　多 谢　　再 见
   néi hóu　　fùn yěŋ　　céŋ có　　dò jǐe　　zhəi gìn
   您 好　　欢 迎　　　请 坐　　多 谢　　再 见

2. ○ 我 嚟 自 我 介 绍　下：
   ngó lěi zǐ ngó gai shǐu　há
   我 来 自 我 介 绍　一 下：
   ○ 我 姓 陈，叫 陈 胜 利，系 友 谊 公 司 嘅
   ngó seŋ cʌn giu cʌn seŋ lěi　hʌǐ yáo yǐ gong sì gie
   我 姓 陈，叫 陈 胜 利，是 友 谊 公 司 的
   会 计。
   wuǐ gʌi
   会 计。

3. A：您 贵 姓？
   néi guʌi seŋ
   您 贵 姓？

   B：我 姓 张。
   ngó seŋ zhəàng
   我 姓 张。

   A：您 叫 乜 嘢 名？
   néi giu màt yíe miěŋ
   您 叫 什 么 名？

B：**我 叫 张 启 明。**
ngó giu zhæàng kʌí měŋ
我 叫 张 启 明。

4. A：**你 嘅 班 主任 老师 姓 乜 嘢？**
néi gie bài jǔ yʌm lóu sì seŋ màt yíe
你 的 班 主任 老师 姓 什么？

B：**佢 姓 何。**
küéi seŋ hǒ
他 姓 何。

A：**你 嘅 同学 叫 乜 嘢 名？**
néi gie tǒng hǒ giu màt yíe mǐeŋ
你 的 同学 叫 什么 名字？

B：**佢 叫 李 军 才。**
küéi giu léi guàn cǒi
他 叫 李 军 才。

5. A：**佢 系 你 嘅 乜 嘢 人？**
küéi hʌǐ néi gie màt yíe yʌn
他 是 你 的 什么 人？

B：**佢 系 我 嘅 阿叔。**
küéi hʌǐ ngó gie a shòu
他 是 我 的 叔叔。

A：**佢 嘅 仔 系 我 嘅 同学。**
küéi gie zʌí hʌǐ ngó gie tǒng hǒ
他 的 儿子 是 我 的 同学。

B：**佢 嘅 同学 系 我 嘅 老师。**
küéi gie tǒng hǒ hʌǐ ngó gie lóu sì
他 的 同学 是 我 的 老师。

● 词语注音释义：

乜 嘢（什么）　嚟（来）　系（是）　嘅（的）
màt yíe sʌm mò　　lēi lɔi　hʌǐ sǐ　gie dèk

佢（他、她、它）　仔（子、儿子）
küéi　　tà　　zʌí zí yǐ zí

第二课 我哋系中国人
dʌi yi fo　ngó dʌi hʌi zhòng guɔ yʌn
我 们 是 中 国 人

6. ○ 我 系 广 东 人，你 系 武 汉 人。
　　ngó hʌi gúɔŋ dòng yʌn　néi hʌi móu hɔn yʌn
　　我 是 广 东 人，你 是 武 汉 人。

　○ 佢 系 上 海 人，我 哋 都 系 中 国 人。
　　küéi hʌi shɑ̆ɑng hɔi yʌn　ngó děi dòu hʌi zhòng guɔ yʌn
　　他 是 上 海 人，我 们 都 是 中 国 人。

7. ○ 龟 田 系 日 本 人，
　　guʌi tǐn hʌi yʌt bún yʌn
　　龟 田 是 日 本 人，

　○ 汤 姆 系 美 国 人。
　　tòŋ móu hʌi méi guɔ yʌn
　　汤 姆 是 美 国 人。

　○ 佢 哋 都 系 外 国 人，
　　küéi děi dòu hʌi ngǒi guɔ yʌn
　　他 们 都 是 外 国 人，

　○ 佢 哋 系 我 哋 嘅 朋 友。
　　küéi děi hʌi ngó dei gie pʌ̆ng yáo
　　他 们 是 我 们 的 朋 友。

8. A: 教 你 哋 英 文 嘅 老 师 系 边 个 国 家 人？
　　gau néi děi yèŋ mʌn gie lóu sì hʌi bìn go guɔ gà yʌn
　　教 你 们 英 语 的 老 师 是 哪 个 国 家 人？

　B: 佢 系 英 国 人。
　　küéi hʌi yèŋ guɔ yʌn.
　　他 是 英 国 人。

A：教 你 哋 日 语 嘅 老 师 系 边　度 人 ？
　　gau néi děi yāt yú gie lóu sì hāi bìn　dǒu yān
　　教 你 们 日 语 的 老 师 是 什 么 地 方 人 ？

B：佢 系 日 本 人 。教 我 哋 外 语 嘅 老 师 冚
　　kūéi hāi yāt bún yān　gau ngó děi ngǒi yú gie lóu sì hʌm
　　他 是 日 本 人 。教 我 们 外 语 的 老 师 全

　　唪 唥 都 系 外 国 人 。
　　bang lang dòu hāi ngǒi guə yān
　　部　　 都 是 外 国 人 。

● 词语注音释义：

　　我 哋（我们）　　　英 文 （英语）
　　ngó děi ngó mǔn　　　yèŋ mǎn　yèŋ yú

　　冚 唪 唥（全部）
　　hʌm bang lang chǔn bǒu

第三课 呢 位 系 从 香 港 嚟 嘅
dǎi sàm fo　nì wʌi hǎi cǒng hæàng gǒŋ lěi giè
这 位 是 从 香 港 来 的

9. ○呢 位 先 生 叫 刘 锦 荣，
　　nì wʌi sìn sàng giu lǎo gʌ́m wěŋ
　　这 位 先 生 叫 刘 锦 荣，

　○系 从 香 港 嚟 嘅。
　　hǎi cǒng hæàng gǒŋ lěi gie
　　是 从 香 港 来 的。

　○呢 位 大 姐 叫 陈 丽 萍，
　　nì wʌi dǎi jié giu cʌn lěi pěŋ
　　这 位 大 姐 叫 陈 丽 萍，

　○又 系 从 香 港 嚟 嘅。
　　yǎo hǎi cǒng hæàng gǒŋ lěi giè
　　也 是 从 香 港 来 的。

10. ○呢 间 系 陈 经 理 嘅 住 房，
　　nì gàn hǎi cʌn gèŋ léi gie jǔ fóŋ
　　这 间 是 陈 经 理 的 住 房，

　○隔 篱 吖 间 至 系 黎 斌 同 志 嘅。
　　gʌ lěi go gàn zi hǎi lǎi bàn tǒng zi giè
　　隔 壁 那 间 才 是 黎 斌 同 志 的。

11. ○呢 间 系 男 厕 所，吖 间 系 女 厕 所。
　　nì gàn hǎi nǎm cì só　go gàn hǎi nüéi ci só
　　这 间 是 男 厕 所，那 间 是 女 厕 所。

　○呢 头 系 饭 堂，吖 边 系 冲 凉 房。
　　nì tǎo hǎi fǎn tǒŋ　go bìn hǎi còng læǎng fóŋ
　　这 头 是 食 堂，那 头 是 洗 澡 房。

12. ○呢棵系木瓜树，吖棵系椰子树。
　　　nì pò hʌi mǒu guà shǔ　　go pò hʌi yiě zí shǔ
　　　这棵是木瓜树，那棵是椰子树。
　　○呢啲生果叫番石榴。
　　　nì dìt sàng gúo giu fàn sièt lǎo
　　　这些水果叫番石榴。

●词语注音释义：

呢(这)　　　　　又(也)
nì jié　　　　　yǎo yá

吖(那、的)　　　隔篱(隔壁)
go ná dèk　　　gʌ lěi gʌ bèk

至系(才是)　　　啲(些、点)
zi hǎi cǒi sǐ　　dìt xiè dím

生果(水果)
sàng gúo shuí gúo

第四课 识唔识讲白话
dǎi si fo　sèk m̌ sèk góŋ bǎ wá
会 不 会 讲 白 话

13. A：陈 医 生 识 唔 识 讲 英 语？
　　cǎn yì sàng sèk m̌ sèk góŋ yèŋ yú
　　陈 医 生 会 不 会 讲 英 语？

　　B：佢 识 讲，讲 得 唔 错。
　　　küéi sèk góŋ　　góŋ dǎ m̌ co
　　　他 会 讲，讲 得 不 错。

　　A：佢 识 唔 识 讲 白 话？
　　　küéi sèk m̌ sèk góŋ bǎ wá
　　　他 会 不 会 讲 白 话？

　　B：佢 识 讲 一 啲，但 系 讲 得 唔 系 几 好。
　　　küéi sèk góŋ yǎt dìt　dǎn hǎi góŋ dǎ m̌ hǎi géi hóu
　　　他 会 讲 一 点，但 是 讲 得 不 是 很 好。

14. A：你 而 加 得 唔 得 闲？
　　néi yǐ gà dǎ m̌ dǎ hǎn
　　你 现 在 有 没 有 空？

　　B：我 唔 得 闲，要 做 功 课。
　　　ngó m̌ dǎ hǎn　yiu zhou gòng fo
　　　我 没 有 空，要 做 作 业。

　　A：做 完 功 课 我 哋 嚟 捉 盘 棋 好 唔 好？
　　　zhou yǔn gòng fo ngó deǐ lěi zhòu pǔn kěi hóu m̌ hóu
　　　做 完 作 业 我 们 来 下 盘 棋 好 不 好？

　　B：唔 好 意 思，我 嘅 棋 捉 得 唔 好。
　　　m̌ hóu yi sì　ngó gie kěi zhou dǎ m̌ hóu
　　　不 好 意 思，我 的 棋 下 得 不 好。

15. A: **你 中 意 乜 嘢 运 动**？
　　　néi zhòng yi mǎt yíe wǎn dǒng
　　　你 喜 爱 什 么 运 动？

　　B: **我 最 中 意 打 波**。
　　　ngó zhui zhòng yi dá bò
　　　我 最 喜 欢 打 球。

　　A: **你 中 唔 中 意 游 水**？
　　　néi zhòng m̌ zhòng yi yǎo shuí
　　　你 喜 不 喜 欢 游 泳？

　　B: **我 唔 识 游 水**。
　　　ngó m̌ sèk yǎo shuí
　　　我 不 会 游 泳。

16. A: **你 惯 唔 惯**？
　　　néi guǐ m̌ guǐ
　　　你 累 不 累？

　　B: **我 唔 系 几 惯**。
　　　ngó m̌ hài géi guǐ
　　　我 不 怎 么 累。

　　A: **使 唔 使 唞 下**？
　　　sǎi m̌ sǎi tǎo há
　　　要 不 要 休 息 一 下？

　　B: **唔 使 啰，唔 紧 要 嘅**。
　　　m̌ sǎi lo m̌ gǎn yìu gie
　　　不 必 了，没 什 么 关 系 的。

17. A: **你 食 唔 食 烟**？
　　　néi sěk m̌ sěk yìn
　　　你 抽 不 抽 烟？

　　B: **我 唔 食 烟**。
　　　ngó m̌ sěk yìn
　　　我 不 抽 烟。

A: 你 饮 唔 饮 酒？
　　néi yǎm m̌ yǎm zháo
　　你 喝 不 喝 酒？

B: 我 唔 饮 白 酒，我 净 系 饮 啤 酒。
　　ngó m̌ yǎm bā zháo　ngó jiěŋ hài yǎm biè zháo
　　我 不 喝 白 酒，我 只 喝 啤 酒。

● 词语注音释义：

唔（不）唔系几好（不怎么好）
m̌ bàt　m̌ hǎi géi hóu bàt zhǎm mò hóu

而加（现在）唔得闲（没空）
yǐ gà　yǐn zhǎi　m̌ dǎ hǎn m̌t hòng

捉棋（下棋）中意（爱，喜欢）
zhòu kěi hǎ kěi　zhòng yi　ɔi　héi fùn

游水（游泳）愤（累）
yǎo shuí yǎo wéŋ　gǔi　lǔi

歇下（休息下）唔使（不必）
táo há　yáo sèk há　m̌ sái bàt bit

唔紧要（没什么关系）食烟（抽烟）
m̌ gán yiu　m̌t sǎm mò guǎn hǎi　sěk yìn　cào yìn

饮（喝）打波（打球）
yǎm　hɔt　dá bò　dá kǎo

唔好意思（不好意思）净系（只是）
m̌ hóu yì si bàt hóu yì si　jiěŋ hài zí si

第五课　做乜嘢
dǎi ń fo zhou màt yié
干什么

18. A：**你喺度做乜嘢？**
　　néi hǎi dǒu zhou màt yié
　　你在　　干什么？

　　B：**我喺度睇电视。**
　　　ngó hǎi dǒu tǎi dǐn sǐ
　　　我在　　看电视。

　　A：**你喺度睇紧乜嘢节目？**
　　　néi hǎi dǒu tǎi gǎn màt yíe zit moǔ
　　　你在　　看　　什么节目？

　　B：**我睇紧新闻联播。**
　　　ngó tǎi gǎn sàn mǎn lǔn bo
　　　我正在看新闻联播。

19. A：**你揾乜嘢？**
　　néi wán màt yíe
　　你找什么？

　　B：**我揾我嘅书包。**
　　　ngó wǎn ngó gie shǔ bàu
　　　我找我的书包。

　　A：**你嘅书包入边有乜嘢？**
　　　néi gie shǔ bâu yǎp bín yáo màt yíe
　　　你的书包里面有什么？

　　B：**有两本书同一支墨水笔。**
　　　yáo léang bún shǔ tõng yàt zì mǎ shuí bà
　　　有两本书和一支钢　笔。

20. A: 你 今 朝 有 乜 嘢 事 ?
　　　néi gàm jìu yáo màt yié sǐ
　　　你 今天 早晨 有 什么 事 ?

　　B: 我 要 上 街 买 啲 嘢 。
　　　ngó yiu shæng gài mái dìt yié
　　　我 要 上 街 买 东 西 。

　　A: 你 要 买 乜 嘢 嘢 ?
　　　néi yiu mái màt yié yié
　　　你 要 买 什么 东西 ?

　　B: 我 要 买 啲 衫 裤 。
　　　ngó yiu mái dìt sàm fu
　　　我 要 买 些 衣 服 。

21. A: 要 落 雨 喇 , 你 有 冇 带 遮 ?
　　　yiu lǒ yú la néi yáo móu dai jié
　　　要 下 雨 了 , 你 带 伞 了 吗 ?

　　B: 冇 带 。
　　　móu dai
　　　没有 带 。

　　A: 我 哋 打 架 "的" 去 好 唔 好 ?
　　　ngó děi dá ga dèk hüei hóu m̌ hóu
　　　我 们 坐 辆 "的士" 去 好 吗 ?

　　　我 睇 冇 几 远 , 行 路 去 得 喇 。
　　　ngó tái móu géi yún hǎng lǔ hüei dà la
　　　我 看 没 多 远 , 走 路 去 行 了 。

22. A: 肚 饿 啦 , 有 乜 好 嘢 食 ?
　　　tǒu ngǒ là yáo màt hóu yié sěk
　　　肚子 饿 了 , 有 什么 好 东西 吃 ?

　　B: 你 要 食 乜 嘢 ? 食 饭 定 系 食 面 ?
　　　néi yiu sěk màt yié sěk fàn děŋ hǎi sěk mǐn
　　　你 要 吃 什么 ? 吃 饭 还是 吃 面 ?

A：食饭，有乜嘢好餸？
　　sěk fǎn　yáo mʌt yíe hóu song
　　吃饭，有什么好菜？

B：菜单喺道，你自己点好喇。
　　cɔì dàn hʌ́i dǒu　néi zǐ géi dím hóu la
　　菜单在这儿，你自己点好了。

● 词语注音释义：

睇 (看)　揾 (找)　入边 (里面)　墨水笔 (钢笔)
tʌ́i kɔn　wʌ́n zhǒu　yʌ̆p bín　léi mǐn　mʌ̆ shuí bʌ̀t　gɔŋ bʌ̀t

嘢 (东西)　衫裤 (衣服)　落雨 (下雨)
yié dòng sʌ̀i　sàm fu　yì fōu　lō yú　hʌ̆ yú

有冇 (有没有)　架 (辆)　行路 (步行)
yáo móu　yáo mǔt yáo　ga lɔ́áng　hǎng lǔ　bǒu hǎng

得 (行)　咗 (了)　食 (吃)
dʌ̀ hǎng　zhó líu　sěk hʌ̀t

餸 (菜)　定系 (还是)　同 (和)
song cɔi　děŋ hʌ̌i wǎn sǐ　tǒng wǒ

第一单元　复习测试题

一、选择正确的粤语读音（每小题1分）

1. 中国 （　） A. zhŏng guò B. zhòng guɔ

2. 上海 （　） A. shəăng hɔí B. shăng hài

3. 广东 （　） A. guàng dong B. gúɔŋ dòng

4. 武汉 （　） A. móu hɔn B. wú hàn

5. 日本 （　） A. yĭt bùn B. yʌt bún

6. 老师 （　） A. lɑu zì B. lou sì

7. 电视 （　） A. dĭn sĭ B. diàn sì

8. 房间 （　） A. făng gèŋ B. fɔŋ gàn

9. 胜利 （　） A. seŋ lĕi B. sìng lì

10. 贵姓 （　） A. guʌi seŋ B. gùi sìng

二、拼读下列词语注音，写出词语（每小题1分）

1. fùn yĕŋ （　　） 　2. méi guɔ （　　）

3. biè zháo （　　） 　4. shĭ bàu （　　）

5. gai shĭu （　　） 　6. tŏng hɔ （　　）

7. sàm fu （　　） 　8. hɔàng góŋ （　　）

9. gòng sì （　　） 　10. cì só （　　）

11. păng yáo （　　） 　12. jú yʌm （　　）

13. yì sàng （　　） 　14. gèŋ léi （　　）

15. sàn măn （　　）

三、写出下列粤语惯用口语的书面文（每小题1分）

1. 我哋 （　　） 　2. 乜野 （　　）

3. 至系 （　　） 　4. 买野 （　　）

5. 呢位 （　　） 　6. 定系 （　　）

7. 隔篱（　　　　） 8. 冇闲（　　　　）

9. 入边（　　　　） 10. 乜嘢吟（　　　　　）

11. 而加（　　　　） 12. 揾人（　　　　）

13. 歇下（　　　　） 14. 好惯（　　　　）

15. 中意（　　　　） 16. 佢哋（　　　　）

17. 睇打波（　　　　） 18. 唔使（　　　　）

19. 吟啲（　　　　） 20. 唔系几好（　　　　　）

四、写出下列词语的粤语惯用口语（每小题1分）

1. 吃东西（　　　　） 2. 抽烟（　　　　）

3. 水果（　　　　） 4. 不错（　　　　）

5. 对不起（　　　　） 6. 游泳（　　　　）

7. 有没有（　　　　） 8. 衣裳（　　　　）

9. 喝茶（　　　　） 10. 我和他（　　　　　）

11. 步行（　　　　） 12. 儿子（　　　　）

13. 我叔叔的（　　　　） 14. 下棋（　　　　）

15. 不行（　　　　） 16. 钢笔（　　　　）

17. 也是（　　　　） 18. 洗澡（　　　　）

19. 下雨（　　　　） 20. 好菜（　　　　）

五、写出下面粤语惯用口语的书面文（每小题2分）

1. 你嘅吟位同学姓乜嘢？叫乜嘢名？

2. 你哋系唔系从一个学校嚟嘅？

3. 隔篱吟位先生系广州嚟嘅王经理。

4. 呢位小姐嘅外语讲得唔错。

5. 你中意饮乜嘢？饮唔饮啤酒？

6. 吟啲外国人冚嘛吟都系美国人。

7. 佢而加唔得闲，要洗衫裤。

8. 我好惯，想揾个地方歇下。

9. 我唔系几识游水。

10. 我嘅仔中意捉棋，但佢捉得唔好。

六、根据自己的实际情况，用粤语回答问题 (3×5)

1. 你姓乜嘢？叫乜嘢名？

2. 你系乜嘢地方人？你去过香港未？

3. 你中唔中意饮酒？食唔食烟？

4. 你中唔中意捉象棋？识唔识游水？

5. 你学过乜嘢外语？识唔识讲日语？

第六课 你揾边个
dʌi lɔu fo neí wʌn bìn go
你 找 哪 个（谁）

23. A：你 揾 边 个？
     néi wʌn bìn go
     你 找 谁　？

    B：我 揾 李 工 程 师。
     ngó wʌn léi gòng cěŋ sì
     我 找 李 工 程 师。

    A：你 揾 佢 有 乜 嘢 事　？
     néi wʌn küéi yáo màt yìe sǐ
     你 找 他 有 什 么 事 吗？

    B：我 要 请 佢 帮 我 翻 译 啲 英 文。
     ngó yiu céŋ küéi bɔŋ ngó fàn yǐ dìt yèŋ mʌn
     我 要 请 他 帮 我 翻 译 些 英 文。

24. A：边 个 睇 倒 我 间 房 嘅 锁 匙？
     bìn go tái dou ngó gàn fɔŋ só sí
     谁 看 见 我 房 间 的 钥 匙？

    B：呢 把 系 唔 系？
     nì bá hǎi m̀ hǎi
     这 把 是 不 是？

    A：冇 错，系 边 个 执 到 嘅？
     móu co hǎi bìn go zhʌp dou gie
     没 错，是 谁 捡 到 的？

    B：系 隔 篱 阿 明 嫂 吖 仔 执 到 嘅。
     hǎi gʌ léi a měŋ shóu go zǎi zhʌp dou gie
     是 隔 壁 阿 明 嫂 的 儿 子 捡 到 的。

25. A：呢 架 单 车 系 边 个 嘅？
　　　 nì　ga　dàn　ciè　hǎi　bìn　go　gie
　　　 这 辆 自 行 车 是 谁 的？

　　B：系 陈 师 傅 嘅。
　　　 hǎi　cǎn　sì　fú　gie
　　　 是 陈 师 傅 的。

　　A：边 架 单 车 系 你 嘅？
　　　 bìn　ga　dàn　ciè　hǎi　néi　gie
　　　 哪 辆 自 行 车 是 你 的？

　　B：右 边 吖 架 黑 色 嘅。
　　　 yǎo　bín　go　ga　hǎ　sèk　gie
　　　 右 边 那 辆 黑 色 的。

26. A：呢 啲 衫 裤 边 件 最 靓？
　　　 nì　dìt　sàm　fu　bìn　gǐn　zhui　lieŋ
　　　 这 些 衣 裳 哪 件 最 漂 亮？

　　B：我 睇 呢 件 粉 红 色 嘅 唔 错。
　　　 ngó　tái　nì　gǐn　fǎn　hǒng　sèk　gie　m̌　co
　　　 我 看 这 件 粉 红 色 的 不 错。

　　A：呢 啲 面 盆 你 中 意 边 个？
　　　 nì　dìt　mǐn　pǔn　néi　zhòng　yi　bìn　go
　　　 这 些 脸 盆 你 喜 欢 哪 个？

　　B：我 边 个 都 唔 中 意。
　　　 ngó　bìn　go　dù　m̌　zhòng　yi
　　　 我 哪 个 都 不 喜 欢。

27. A：到 动 物 园 搭 边 路 车 好？
　　　 dou　dǒng　mǎt　yún　dap　bìn　lǔ　ciè　hóu
　　　 到 动 物 园 坐 哪 路 车 好？

　　B：十 路、七 路 都 得。
　　　 sǎp　lǔ　càt　lǔ　dù　dà
　　　 十 路、七 路 都 可 以。

A：**到 边 个 车 站 落 车**？
dou bìn go cìè zhǎm lɔ cìè
到 哪 个 车 站 下 车？

B：**终 点 站**。
zhòng dím zhǎm
终 点 站。

28．A：**你 哋 有 边 个 去 过 长 江 三 峡**？
néi děi yáo bìn go hüei guo cɐǎng gɔŋ sàm hɐp
你 们 有 谁 到 过 长 江 三 峡？

B：**我 哋 都 未 去 过**。
ngó děi dòu měi hüei guo
我 们 都 没 去 过。

A：**边 个 要 同 我 哋 一 齐 去 吣 度 旅 游**？
bìn go yiu tõng ngó děi yɐt cɑ̄i hüei go dǒu lüéi yáo
谁 要 和 我 们 一 起 去 那 里 旅 游？

B：**我 哋 边 个 都 想 去**。
ngó děi bìn go dòu shɐ̄ang hüeì
我 们 谁 都 想 去。

● 词语注音释义

边个（谁，哪个）　锁匙（钥匙）
bìn go　shǔi ná go　só sǐ　yiu sǐ

执到（捡到）　单车（自行车）
zhɐ̀p dou　gím dou　dàn cìè　zǐ hǎng cìè

靓（漂亮）　面盆（脸盆）
lièŋ　pìù lìɐŋ　mǐn pǔn　lǐn pǔn

一齐（一起）　吣度（那里）
yɐ̀t cɑ̄i　yɐ̀t héi　go dǒu　ná léi

未（没）
měi　mǔt

第七课 你去咗边度
dǎi càt fo　néi hüei zhó bìn dǒu
你 到 哪 里 去 了

29. A：你 头 先 去 咗 边 度 ？
　　néi tǎo sìn hüei zhó bìn dǒu
　　你 先 前 到 哪 里 去 了 ？

B：我 喺 学 校 打 波 。
　　ngó hǎi hǒ hǎu dá bò
　　我 在 学 校 打 球 。

A：点 解 而 加 至 翻 嚟 ？
　　dim gái yǐ gà zi fàn lěi
　　为 啥 现 在 才 回 来 ？

B：我 喺 前 边 吖 度 听 人 讲 古 。
　　ngó hǎi cǐn bín go dǒu tièŋ yān gǒŋ gú
　　我 在 前 面 那 里 听 人 讲 故 事 。

30. A：你 住 喺 边 度 ？
　　néi jù hǎi bìn dǒu
　　你 住 在 哪 里 ？

B：我 住 喺 广 州 西 关 。
　　ngó jǔ hǎi guǎŋ zhao sài guàn
　　我 住 在 广 州 西 关 。

A：你 而 加 喺 边 度 做 嘢 ？
　　néi yǐ gà hǎi bìn dǒu zhou yié
　　你 现 在 在 哪 里 工 作 ？

B：我 喺 新 世 纪 大 酒 店 做 嘢 。
　　ngó hǎi sàn sʌi gei dǎi zháo dim zhou yié
　　我 在 新 世 纪 大 酒 店 工 作 。

31. A: **你系边度人**？
　　néi hǎi bìn dǒu yān
　　你是哪里人？

　B: **我系广西人**。
　　ngó hǎi guɔŋ sài yān
　　我是广西人。

　A: **你系边度出世嘅**？
　　néi hǎi bìn dǒu chùt sʌi gie
　　你是哪里出生的？

　B: **我系喺桂林出世嘅**。
　　ngó hǎi hʌi guʌi lǎm chùt sʌi gie
　　我是在桂林出生的。

32. A: **你阿伯去咗边度**？
　　néi a bʌ hüei zhó bìn dǒu
　　你伯父上哪里去了？

　B: **佢喺隔篱同啲伯爷公倾计**。
　　küei hʌi gʌ lěi tǒng dìt bʌ yiè gòng kèŋ gʌi
　　他在隔壁和一些老大爷聊天。

　A: **吓啲细蚊仔喺走廊吓度搞乜嘢**？
　　go dìt sʌi màn zái hài zháo lóŋ go dǒu gáu màt yié
　　那些小孩在走廊那里玩什么？

　B: **佢哋喺吓度捉依因**。
　　küei děi hʌi go dou zhou yǐ yàn
　　他们在那里捉迷藏。

33. A: **售票处喺边度**？
　　shǎo piu chù hʌi bìn dǒu
　　售票处在哪里？

　B: **喺吓间大楼楼底**。
　　hʌi go gàn dǎi lǎo lǎo dʌi
　　在那间大楼底层。

A：行 李 寄 存 处 系 唔 系 喺 吖 度？
hǎng léi gei chǔn chǔ hǎi m̌ hǎi hái go dou
行 李 寄 存 处 是 不 是 在 那 里？

B：我 都 唔 系 几 清 楚 噃 。到 吖 边 询 问
ngó dòu m̌ hǎi géi cèŋ chó wo　dou go bìn chǔn mǎn
我 也 不 怎 么 清 楚 　。到 那 边 询 问

处 问 啦 。
chǔ mǎn là
处 问 吧 。

34. A：吖 边 山 上 有 乜 生 果 树？
go bìn sàn shɐǎng yáo màt sàng gúo shǔ
那 边 山 上 有 什 么 果 树？

B：种 有 好 几 百 棵 香 蕉 树 。
zhong yáo hóu géi bʌ pò hɐàng jiù shū
种 有 好 几 百 棵 香 蕉 树 。

A：山 林 入 边 有 冇 马 骝 仔？
sàn lǎm yɐ̆p bín yáo móu má lào zʌ́i
山 林 里 　有 没 有 猴 子？

B：旧 时 有 , 而 加 被 人 捉 晒 啰 。
gǎo sǐ yáo　yǐ gà béi yɐ̌n zhɔu sai lo
过 去 有 , 现 在 被 人 捉 完 了 。

● 词语注音释义

边 度（哪里）　翻 �嚟（回来）
bìn dǒu ná léi　fàn lěi　wuǐ lɔ̌i

讲 古（讲故事）　喺（在）
góŋ gú　gɔ̆ŋ gú sǐ　hɐ́i zhɔ̌i

出 世（出生）　伯 爷 公（老大爷）
chùt sʌi chùt sàng　bʌ yiègòng　lóu dǎi yɛ̆

倾 计（聊天）　细 蚊 仔（小孩子）
kèŋ gʌ́i　liǔ tìn　sʌi màn zʌ́i　shíu hǎi zí

旧时（过去）　晒（完了）
gǎo sǐ　guo hüei　　sai　yǔn liú

马骝仔（猴子）
má láo zʌi　hǎo zí

第八课 你 几 时 落班 嘅
dǎi baʌ fo neí géi sǐ lɔ̌ bàn gie
你 什么 时候 下 班 的

35. A: 琴 晚 落 大雨 吥 阵 你 喺 边 度?
kǎm mán lɔ̌ dǎi yú go zhǎn néi hǎi bìn dǒu
昨 晚 下 大 雨 的 时候 你 在 哪里?

B: 我 喺 工 厂 值班。
ngó hǎi gòng cǒŋ zěk bàn
我 正在 工 厂 值 班。

A: 你 系 几 时 落班 嘅?
néi hǎi géi sǐ lɔ̌ bàn gie
你 是 什么 时候 下 班 的?

B: 晚 黑 十 点 几。
mán hʌ̀ sǎp dím géi
晚 上 十 点 多。

36. A: 你 系 几 时 参 加 工 作 嘅?
néi hǎi géi sǐ càm ga gòng zhɔ gie
你 是 何 时 参 加 工 作 的?

B: 成 十 年 啰。
sěŋ sǎp nǐn lo
快 十 年 了。

A: 你 几 时 郁 身 翻 乡 下?
néi géi sǐ yɔù sàn fàn hæàng hà
你 什么 时候 动 身 回 乡 下?

B: 过 两 日。
dǎi lǝáng yʌ̌t
过 两 天。

37. A：呢 度 几 时 有 车 去 番 禺？
nì dǒu géi sǐ yáo ciè hüeì pǔn yǔ
这 里 何 时 有 车 到 番 禺？

B：个 个 钟 都 有 一 趟。
go go zhòng dòu yáo yàt təŋ
每 小 时 都 有 一 趟。

A："巴 士" 晚 黑 几 点 钟 收 工？
bà sǐ mán hà géi dím zhòng shào gòng
"巴 士" 夜 晚 几 点　收 班？

B：通 宵 都 有 车 嘅。
tòng shiù dòu yáo ciè gie
通 宵 都 有 车 的。

38. A：你 买 咗 几 点 钟 嘅 票？
néi mái zhó géi dím zhòng gie piu
你 买 了 几 点 钟 的 票？

B：今 日 晏 昼 十 二 点 正 嘅。
gàm yāt an zhao sāp yǐ dím zheŋ gie
今 天 中 午 十 二 点 正 的。

A：你 系 几 时 买 嘅 票？
néi hǎi géi sǐ mái gie piu
你 是 什 么 时 候 买 的 票？

B：琴 日 下 昼 两 点 几。
kǎm yāt hǎ zhao ləáng dím géi
昨 天 下 午 两 点 多。

39. A：开 往 广 州 去 嘅 第 十 五 次 快 车 几 时
hài wǒŋ gúoŋ zhào hüeì gie dǎi sāp ń ci fai ciè géi sǐ
开 往 广 州 去 的 第 十 五 次 快 车 几 时
到 站？
dou zhǎm
到 站？

B：过 得 四 五 个 字 添 。
guo dà si ń go zǐ tìm
得 过 二 十 来 分 钟 。

A：火 车 几 时 至 到 广 州 车 站 呢 ？
fó cìe géi sǐ zì dou gúoŋ zhào cìe zhǎm nì
火 车 什么 时 候 才 到 广 州 车 站 ？

B：听 朝 五 点 度 。
tèŋ jiù ń dím dóu
明 天 早 晨 五 点 左 右 。

40. A：从 武 汉 坐 船 到 重 庆 要 几 耐 ？
cǒŋ móu hɔn có shún dou cǒŋ heŋ yiu géi nɔǐ
从 武 汉 坐 船 到 重 庆 要 多 久 ？

B：四 日 度 。
si yāt dóu
四 天 左 右 。

A：下 个 礼 拜 翻 唔 翻 得 嚟 呢 ？
hǎ go lái bai fàn m̌ fàn dà lěi nì
下 个 星 期 回 不 回 得 来 呢 ？

B：咁 就 唔 知 道 啦 。
gɔm zhǎo m̌ zì dou lɔ
这 就 不 知 道 了 。

● 词语注音释义

琴 晚（昨 晚） 吟 阵（那 时）
kām mán zhɔ̌ mán go zhǎn ná sǐ

几 时（何 时） 晚 黑（夜 晚）
géi sǐ hɔ̌ sǐ mán hà yǐe mán

成 十 年（快 十 年） 郁 身（动 身）
sěŋ sǎp nǐn fai sǎp nǐn yòu sàn dǒng sàn

晏 昼（中 午） 下 昼（下 午）
an zhao zhòng ń hǎ zhao hà ń

听朝（明天早晨）　四个字（二十分钟）
tèŋ jiù　měŋ tìn zhóu sān　si go zǐ　yǐ sāp fàn zhòng

几耐（多久）　四日度（四天左右）
géi nɔ̌i　dò gáo　si yāt dóu　si tìn zhó yǎo

咁（这）
gómjié

第九课 仲 未 食 饭
dʌi gáo fo   zhǒng měi sěk fǎn
还 没有 吃 过饭

41. A：**你 食 咗 饭 未 ?**
néi sěk zhó fǎn měi
你 吃 过 饭 了吗 ?

B：**我 食 咗 啰 。**
ngó sěk zhó lo
我 吃 过 了 。

A：**你 仲 食 唔 食 饭 ?**
néi zhǒng sěk m̄ sěk fǎn
你 还 吃 不 吃 饭 ?

B：**多 谢 晒 ，我 食 饱 啰 。**
dò jiě sai   ngó sěk bán lo
谢 谢 ， 我 吃 饱 了 。

42. A：**你 哋 嘅 数 学 课 上 完 未 ?**
néi děi gie shou hǒ fo shəáng yùn měi
你 们 的 数 学 课 上 完 了 没有 ?

B：**仲 未 ， 仲 上 紧 新 课 。**
zhǒng měi   zhǒng shəǎng gʌn sàn fo
还 没有 ， 还 在 上 新 课 。

A：**仲 有 几 耐 至 考 试 呢 ?**
zhǒng yáo géi nǎi   zi háu sí nì
还 有 多 久 开 始 考 试 呢 ?

B：**仲 有 十 零 日 。**
zhǒng yáo sǎp lěŋ yʌt
还 有 十 多 天 。

43. A: **你嘅履历表填咗未**？
   néi gie lǔt lěk bíu tĭn zhó měi
   你的履历表填了没有？

   B: **填紧**。
   tĭn gán
   正在填。

   A: **你识讲啲乜嘢话**？
   néi sèk góŋ dìt màt yíe wá
   你会讲些什么语言？

   B: **除咗普通话，仲识讲广州话、英语**。
   chǔ zhó pú tòng wá zhŏng sèk góŋ guăŋ zhao wa 、yèŋ yú
   除了普通话，还会讲广州话、英语。

44. A: **你做过乜嘢工作**？
   néi zhou guo màt yíe gòng zhɔ
   你做过什么工作？

   B: **我仲未参加工作呢**。
   ngó zhŏng měi càm gà gòng zhɔ nì
   我还没有参加工作呢。

   A: **你实习过未**？
   néi sǎt zhăp guo měi
   你实习过没有？

   B: **都未曾实习过**。
   dòu měi cǎm sǎt zhăp guo
   也未曾实习过。

45. A: **你借嘅书还咗未**？
   néi jie gie shǔ wǎn zhó měi
   你借的书还了没有？

   B: **我仲未睇晒，仲睇紧**。
   ngó zhŏng měi tái sai zhŏng tái gán
   我还未看完，还在看。

A：你 仲 借 唔 借 书？
néi zhŏng jie m̄ jie shù
你 还 借 不 借 书？

B：我 仲 要 借 几 本。
ngó zhŏng yiu jie géi bún
我 还 要 借 几 本。

46．A：假 期 有 乜 打 算？
ga kĕi yáo màt dá shün
假 期 有 什么 打 算？

B：仲 未 谂 掂。
zhŏng mĕi nám dím
还 未 想 好。

A：今 晚 睇 唔 睇 戏？
gàm mán tái m̄ tái hei
今 晚 看 不 看 戏？

B：我 谂 仲 系 去 睇 足 球 赛 好。
ngó nám zhŏng hăi hüei tái zhòu kăo cɔi hóu
我 想 还 是 去 看 足 球 赛 好。

●词语注音释义

仲 未（还 没）　多 谢 晒（非常感谢）
zhŏng mĕi　wăn mŭt　　dò jiè sai　fèi cæ̆ng gɔm jiè

填 紧（正在填写）　十 零 日（十多天）
tĭn gán　zheŋ zhăi tĭn sié　săp lĕŋ yăt　săp dò tìn

谂（想、考虑）
nám　shæáng háu lüĕi

第 十 课　仲 有 几 多 钱
dʌi sʌ̌p fo　zhŏng yáo géi dò cín
还 有 多 少 钱

47. ○十 分 为 一 毫 ， 十 毫 为 一 蚊 。
sʌ̌p fʌ̀n wāi yʌ̀t hŏu　sʌ̌p hŏu wāi yʌ̀t màn
十 分 为 一 角 ， 十 角 为 一 元 。

○百 蚊 有 几 毫 ？ 千 蚊 有 几 分 ？
bʌ màn yáo géi hŏu　cìn màn yáo géi fʌ̀n
百 元 有 几 角 ？ 千 元 有 几 分 ？

48. ○一 只 鸡 嫲 十 八 蚊 ， 两 只 鸡 公 三 十 蚊 。
yʌ̀t ziet gʌ̀i ná sʌ̌p bʌ màn　lǎng ziet gʌ̀i gòng sàm sʌ̌p màn
一 只 母 鸡 十 八 元 ， 两 只 公 鸡 三 十 元 。

○三 只 鸡 仔 七 蚊 八 毫 二 ， 四 只 鸡 蛋
sàm ziet gʌ̀i zʌ̀i càt màn bʌ hŏu yǐ　sì ziet gʌ̀i dán
三 只 小 鸡 七 元 八 角 二 ， 四 枚 鸡 蛋

○两 蚊 六 毫 半 ， 一 共 几 蚊 几 毫 几 分 ？
lǎng mʌ̌n lŭu hŏu bun　yʌ̀t gŏng géi màn géi hŏu géi fʌ̀n
两 块 六 角 五 ， 一 共 几 元 几 角 几 分 ？

49. ○一 个 伯 爷 婆 带 咗 三 十 蚊 鸡 上 街 买
yʌ̀t go bʌ yìe pó dai zhó sàm sʌ̌p màn gʌ̀i shǎang gʌ̀i mái
一 个 老 太 婆 带 了 三 十 元 钱 上 街 买

○嘢 。 买 菜 用 咗 十 五 蚊 ， 买 油 炸 鬼
yíe　mái cɔi yŏng zhó sʌ̌p ń màn　mái yǎo zha guʌí
东 西 。 买 菜 用 了 十 五 元 ， 买 油 条

○用 咗 一 蚊 八 ， 买 盐 买 醋 用 咗 五 蚊
yŏng zhō yʌ̀t màn bʌ　mái yǐm mái chou yŏng zhó ń màn
用 了 一 块 八 ， 买 盐 买 醋 用 了 五 块

○七， 佢 仲 有 几 多 钱？
càt kūéi zhōng yáo géi dò cín
七， 她 还 有 多 少 钱？

50.○一只 蚫蜩 四只 脚，嘣 咚 一 声 跳 落 水。
yàt ziet gàp ná sì ziet güe bóng dóng yàt sèŋ tiú lɔ̃ shuí
一 只 青 蛙 四 只 脚，扑 嗵 一 声 跳 下 水。

○二只 蚫蜩 八只 脚，嘣 咚 嘣 咚 跳 落 水。
yǐ ziet gàp ná baʌ ziet güe bóng dóng bóng dóng tiú lɔ̃ shuí
两 只 青 蛙 八 只 脚，扑 嗵 扑 嗵 跳 下 水。

○三只 蚫蜩 几只 脚，几 声 嘣 咚 跳 落 水？
sàm ziet gàp ná. géi ziet güe géi sèŋ bóng dóng tiú lɔ̃ shuí
三 只 青 蛙 几 只 脚，几 声 扑 嗵 跳 下 水？

51.○十只 猪 一齐 过 河。过 咗 河，大 猪 话："快
sǎp zìet jǔ yàt cāi guo hǒ guo zhó hǒ dǎi jù wǎ fai
十 头 猪 一 起 过 河。过 了 河，大 猪 说："快

○啲排 好 队，我 嚟 点 个 数。一 二 三 四 五
dìt pǎi hóu duí ngó lěi dím go shou yàt yǐ sàm sì ń
点 站 好 队，我 来 点 个 数。一 二 三 四 五

○六 七 八 九，闭 了，少 咗 一 只。
lɔ̃u càt baʌ gáo bāi lo shíu zhó yàt zìet
六 七 八 九，糟 糕，少 了 一 头。

● 词语注音释义

一 毫（一 角） 一 蚊（鸡）（一 元）
yÁt hǒu yÀt gɔ yÀt màn gài yÀt yǔn

鸡 蜩（母 鸡） 鸡 公（公 鸡）
gài ná móu gài gài gòng gòng gài

鸡 仔（小 鸡） 伯 爷 婆（老 太 婆）
gài zái shíu gài bʌ yiè pó lóu tai pó

油 炸 鬼（油条）　蝲 蛙（青蛙）
yǎo zha guái　yǎo tǐu　gàp ná　cèŋ wà

话（说）　闲 了（糟糕）
wǎ shüt　bāi lɔ　zhòu gòu

一 齐（一起）
yàt cāi　yàt héi

第二单元　复习测试题

一、拼读注音，写出词语（每小题1分）

1. càm gà（　　　　）　　2. cǒng heŋ（　　　　）

3. jie shù（　　　　）　　4. ciè piu（　　　　）

5. hau sí（　　　　）　　6. kǎo cɔi（　　　　）

7. sʌt zhǎp（　　　　）　8. hà sèk（　　　　）

9. yǎo yǐm（　　　　）　10. hǒ shuí（　　　　）

二、判断下列各组字的粤语读音是否相同，相同的用"S"
　　表示，不同的用"D"表示（每小题1分）

1. 讲 广（　　　　）　　2. 有 友（　　　　）

3. 胜 姓（　　　　）　　4. 细 世（　　　　）

5. 树 数（　　　　）　　6. 处 醋（　　　　）

7. 山 衫（　　　　）　　8. 九 酒（　　　　）

9. 中 终（　　　　）　10. 理 李（　　　　）

三、写出下列粤语惯用口语的书面文（每小题1分）

1. 靓（　　　　）　　2. 谂（　　　　）

3. 晒（　　　　）　　4. 㡣（　　　　）

5. 咗（　　　　）　　6. 企楼（　　　　）

7. 边个（　　　　）　　8. 几耐（　　　　）

9. 倾计（　　　　）　10. 执到（　　　　）

11. 仲有（　　　　）　12. 吖度（　　　　）

13. 伯爷婆（　　　　）　14. 蚻嫲（　　　　）

15. 马骝仔（　　　　）　16. 两日度（　　　　）

17. 晏昼（　　　　）　18. 吖阵（　　　　）

19. 咁样（　　　　）　20. 一点两个字（　　　　）

四、写出下列词语的粤语惯用口语（每小题1分）

1. 一起（　　　） 　　2. 二元（　　　）

3. 站着（　　　） 　　4. 母猪（　　　）

5. 昨天（　　　） 　　6. 下午（　　　）

7. 脸盆（　　　） 　　8. 糟糕（　　　）

9. 说（　　　） 　　10. 出生（　　　）

11. 老大爷（　　　） 12. 快点（　　　）

13. 过些天（　　　） 14. 还书（　　　）

15. 钥匙（　　　） 16. 没什么（　　　）

17. 还没有（　　　） 18. 明天早晨（　　　）

19. 五角钱（　　　） 20. 非常感谢（　　　）

五、把下列粤语口语改写成书面文（每小题2分）

1. 坐喺你隔篱吥个细蚊仔系边个嘅仔？

2. 呢架车买咗成十年仲好新。

3. 边个执到我单车嘅锁匙？

4. 你哋喺呢度倾乜嘢啫？

5. 你翻嚟吥阵佢哋仲打紧波咩？

6. 佢唔单止识讲英语，仲识讲日语添。

7. 佢话，佢仲冇睇见过山入边嘅马骝仔。

六、写出下列句子的粤语惯用口语（每小题2分）

1. 昨晚的足球赛你看了没有？

2. 哪里有饭吃？我们还没有吃饭呢？

3. 有两位老大爷在隔壁下棋。

4. 这些衣裳是我姐姐在广州时买的。

5. 昨天我上街买东西用了好几十元钱。

6. 从这里坐火车到你们那里要多久？

7. 他说他还没到过香港。

8. 我是去年才开始学粤语的，还不到一年。

七、根据自己的实际情况用粤语回答问题（每小题 2 分）

1. 你喺边度？你嘅老豆（父亲）喺边度工作？

2. 你初中喺边间学校读书？几时初中毕业？

3. 你着紧（穿着）嘅呢件衫系几时买嘅？几多钱？

4. 你晏昼喺边度食饭？你中意食饭定系食面？

5. 你去过长江三峡未？从武汉坐船到宜昌有几耐？

第十一课　高 中 啱 啱 毕 业
dʌi sʌp yʌt fo　gòu zhòng ngàm ngàm bʌ̀t yǐp
高　中　刚　刚　毕　业

52. A: 你 今 年 几 岁 ?
　　néi gàm nìn géi sui
　　你 今 年 几 岁 ?

　　B: 啱 满 十 八 岁 。
　　ngàm mún sʌ̌p baʌ shui
　　刚 满 十 八 岁 。

　　A: 你 几 时 喺 边 间 学 校 毕 业 ?
　　néi géi　sǐ　hʌ̌i bìn gàn hɔ̀ hàu bʌ̀t yǐp
　　你 什 么 时 候 在 哪 间 学 校 毕 业 ?

　　B: X 职 业 高 中 啱 啱 毕 业 。
　　eks zek yǐp gòu zhòng ngàm ngàm bʌ̀t yǐp
　　X 职 业 高 中 刚 刚 毕 业 。

53. A: 呢 期 嘅《足 球》报 卖 晒 未 ?
　　nì keǐ gie zhòu kǎo bou mǎi sai mèi
　　这 期 的《足 球》报 还 有 卖 吗 ?

　　B: 对 唔 住, 啱 啱 卖 晒 。
　　dui m̀ jǔ　ngàm ngàm mǎi sai
　　对 不 起, 刚 刚 卖 完 。

　　A: 第 啲 足 球 报 纸 仲 有 冇 得 卖 呢 ?
　　dʌi dìt zhòu kǎo bou zí zhŏng yáo móu dà mǎi nì
　　别 的 足 球 报　还 有 没 有　卖 呢 ?

　　B: 啱 来 咗《球 迷》报, 我 捞 畀 你 。
　　ngàm lɔ́i zhó　kǎo mǎi　bou　ngó ló béi néi
　　刚 来 了《球 迷》报, 我 拿 给 你 。

54. A：你 啱 喺 边 度 翻 嚟？
　　　néi ngàm hái bìn dòu fàn lēi
　　　你 刚 从 哪里 回来？

　　B：我 啱 飞 完 发 翻 嚟。
　　　ngó ngàm fèi yǔn faʌ fàn lēi
　　　我 刚 理 完 发 回来。

　　A：阿 明 叔 去 咗 边 度？
　　　a měŋ shòu hüei zhó bìn dòu
　　　阿 明 叔 到 哪里 去 了？

　　B：我 啱 睇 见 佢 喺 对 面 吤 间 飞 发 铺 打
　　　ngó ngàm tái gin kǔei hái dui mǐn go gàn fèi faʌ pù dá
　　　我 刚 看 见 他 在 对 面 那 间 理 发 店 打
　　紧 电 话。
　　gán dǐn wá
　　电 话。

55. A：我 好 颈 渴，有 冇 滚 水 饮 呀？
　　　ngó hóu giéŋ hɔt yáo móu guán shuí yʌm a
　　　我 很 口 渴，有 没 有 开 水 喝？

　　B：冇 晒 啰，啱 饮 晒。
　　　móu saì lo ngàm yʌm sai
　　　没 有 了，刚 喝 完。

　　A：帮 我 煲 啲 滚 水 得 唔 得？
　　　bòŋ ngó bòu dìt guán shuí dà m̀ dà
　　　给 我 烧 点 开 水 行 不 行？

　　B：啱 煲 紧，一 阵 间 就 滚 吤 喇。
　　　ngàm bòu gàn yʌt zhǎn gàn zhǎo guán go la
　　　正 在 烧，一 会 儿 就 开 的 了。

56. A：呢 件 衫 着 过 未？
　　　nì gǐn sàm jüe guo měi
　　　这 件 衣服 穿 过 没 有？

B: 啱 买 翻 嚟 ， 未 曾 着 过 嘅 。
　　ngàm mái fàn lěi　měi cǎm jüe guo gie
　　刚 买 回 来 ， 没 有 穿 过 的 。

A: 畀 我 试 着 下 睇 啱 唔 啱 ？
　　béi ngó sì jüe há tǐ ngàm m̌ ngàm
　　给 我 穿 试 一 下 看 合 不 合适 ？

B: 哗 ， 啱 啱 好 ， 仲 好 醒 添 。
　　wa　ngàm ngàm hóu　zhǒng hóu séŋ tìm
　　哗 ， 正 合 身 ， 还 挺 气派 呢 。

57. A: 听 朝 翻 唔 翻 学 ？
　　　tèŋ jiù fàn m̌ fàn hɔ
　　　明 天 上 午 不 上 学 ？

B: 唔 使 翻 学 ， 啱 考 完 试 。
　　m̌ sǎi fàn hɔ　ngàm háu yǔn sí
　　不 用 上 学 ， 刚 考 完 试 。

A: 你 英 文 考 咗 几 分 ？
　　néi yèŋ mǎn háu zhó géi fàn
　　你 的 英 语 考 了 几 分 ？

B: 真 好 彩 ， 啱 啱 合 格 。
　　zhàn hóu cǎi　ngàm ngàm wǎ gʌ
　　真 幸 运 ， 刚 刚 及 格 。

● 词语注音释义

啱 啱 （ 刚 刚 ） 第 哟 （ 别 的 ）
ngàm ngàm　gɔŋ gɔŋ　dāi dìt　bǐt dèk

㩦 （ 取 ） 帮 畀 （ 给 ） 边 度 （ 从 哪 里 ）
ló chǔ　bɔ̀ŋ béi kʌ̀p　bìn dǒu　cǒŋ ná léi

飞 发 （ 理 发 ） 颈 渴 （ 口 渴 ）
fèi fʌ　léi fʌ　giéŋ hɔt　háo hɔt

滚 水 （ 开 水 ） 煲 （ 烧 、 煮 、 煨 ）
guán shuí　hòi shuí　bòu　shiù jǔ wùi

一 阵 间（一会儿） 着（穿）
yàt zhǎm gàn　yàt wuǐ yǐ　jüe chǔn

醒（气派，了不起） 翻学（上学）
séŋ　hei pai liú bàt héi　fàn hɔ̌　shəáng hɔ̌

好 彩（幸亏）
hóu cói　hǎng kuài

第十二课 点解会咁吟啫
dǎi sǎp yǐ fo   dím gái híu gǒm go jiè
怎么 会 这样 呢

58. A: 你 点 解 咁 晏 至 翻 嚟 呀？
néi dím gái gǒm an zi fàn lěi a
你 为 什么 这么 晚 才 回 来 ？

B: 街 上 人 多, 迫 人, 阻 咗 时间。
gài shǎang yǎn dò bèk yān zhóu zhó sǐ gàn
街 上 人 多, 挤 人, 耽误 了 时间。

A: 你 朋 友 为 乜 唔 同 埋 你 一 齐 嚟 呢？
néi pǎng yáo wǎi màt mǐ tóng mǎi néi yàt cǎi léi nì
你 朋 友 为 啥 不 随 同 你 一 齐 来 呢？

B: 佢 话 呢 几 日 好 忙, 擸 唔 得 身。
kǔei wǎ nì géi yǎt hóu mǒŋ làt mǐ dà sàn
他 说 这 几 天 很 忙, 脱 不 了 身。

59. A: 你 觉 得 呢 间 房 点 样？
néi gǒ dà nì gàn fóŋ dím yǎang
你 觉 得 这 间 房 怎么 样？

B: 嘛 嘛 哋, 就 系 用 水 唔 系 几 方 便。
mǎ mǎ déi zhǎo hǎi yǒng shuí mǐ hǎi géi fóŋ bǐn
还 可 以, 就 是 用 水 不 大 方 便。

A: 呢 处 点 解 仲 咁 邋 遢 嚟？
nì chü dím gái zhǒng gǒm lǎa taa ga
这里 为 什么 还 这么 脏 呢？

B: 我 哋 实 谂 办 法 解 决。
ngó děi sǎt nǎm bǎn faa gái küt
我 们 一 定 想 办 法 解 决。

60. A: 今 日 点 解 咁 鬼 焗 㗎 ?
　　　 gàm yǎt dím gái góm guǎi gǒu ga
　　　 今 天 为 啥 这 么 鬼 闷 热 ?

　　 B: 我 睇 要 翻 风 落 雨 喇 。
　　　 ngó tǎi yiu fàn fòng lǒ yú la
　　　 我 看 要 刮 风 下 雨 了 。

　　 A: 点 解 嘅 ?
　　　 dím gāi gie
　　　 怎 见 得 ?

　　 B: 空 气 咁 潮 湿 。
　　　 hòng hei góm cǐu sàp
　　　 空 气 如 此 潮 湿 。

61. A: 呢 啲 辣 椒 点 咁 鬼 辣 㗎 ?
　　　 nì dìt lǎʌ jiù dím góm guǎi lǎʌ ga
　　　 这 个 辣 椒 怎 么 这 样 辣 呀 ?

　　 B: 辣 椒 越 细 越 犀 利 嘅 。
　　　 lǎʌ jiù yǔt sʌi yǔt sài lěi gie
　　　 辣 椒 越 小 越 利 害 的 。

　　 A: 点 解 会 咁 吖 啫 ?
　　　 dím gái híu góm go jiè
　　　 怎 么 会 这 样 呢 ?

　　 B: 咁 就 唔 知 道 了 。
　　　 góm zhǎo m̀ zì dou lɔ
　　　 这 就 不 知 道 了 。

62. A: 点 呀 , 有 乜 唔 妥 ?
　　　 dím a yáo màt m̀ tó
　　　 怎 么 样 , 有 什 么 不 好 ?

　　 B: 头 痛 , 肚 屙 。
　　　 tǎo tong tóu ò
　　　 头 痛 , 拉 肚 子 。

A：**你 探 下 热 先 。胃 口 点 样 ？**
néi tam　há yǐt sìn　wǎi háo dím yɐǎng
你 先 量 一下 体温 。胃 口 怎么 样 ？

B：**唔系点 想 食 嘢， 想 呕 。**
m̀ hǎi dím shɐáng sěk yíe　shɐáng áo
不 怎么 想 吃 东西， 想 吐 。

A：**几 耐 啦， 点 起 病 嘅 ？**
géi nòi la　dím héi bièŋ gie
多 久 了， 怎么 起 病 的 ？

B：**琴 晚 食 咗 啲 冷 饭，今 朝 就 咁 样 。**
kǎm mán sěk zhó dìt láng fǎn gàm jiù zhǎo gám yɐǎng
昨 晚 吃 了 点 剩饭，今 天 早晨 就 这样 的 。

A：**冷 饭、乌 蝇 溜 过 嘅 嘢 都 唔 食 得 㗎 。**
láng fǎn wù yèŋ lào guo gie yíe dòu m̀ sěk dà ga
剩 饭、苍 蝇 叮 过 的 东西 都 吃 不 得 的 。

63．A：**呢 啲 人 惹 唔 得 㗎 。**
nì dìt yǎn yíe m̀ dà ga
这 些 人 惹 不 得 的 。

B：**点 解 ？ 有 冇 搞 错 呀 ？**
dím gái　yáo móu gáu co　a
为 什么 ？ 怎么 回 事 ？

A：**佢 哋 一 齐 拍 档 搞 鬼 。**
küei děi yàt cǎi pʌ dɐŋ gáu guǎi
他 们 一 起 合 伙 搞 鬼 。

B：**搞 乜 嘢 鬼 ？**
gāu màt yié guǎi
怎么 着 ？

A：**佢 哋 经 常 虾 人，扼 人 啲 钱 。**
küei děi gèŋ cɐŋ hà yǎn ngʌ yǎn dit cín
他 们 经 常 欺 负 人，骗 人 的 钱 。

B：咁衰！
　　góm shuì

　　缺 德，该 死！

● 词语注音释义

点解（为什么，怎么）　晏（迟、晚）
dím gái wǎi sǎm mò zhám mò　　an cǐ mán

迫人（挤人）　阻咗（耽误了）
bèk yǎn zʌi yǎn　　zhóu zhó dàm ň liú

同埋（随同）　　捋（脱）
tǒng mǎi chuǐ tǒng　　làt tüt

点样（怎样）　嘛嘛哋（还可以）
dím yɛǎng zhám yɛǎng　　mǎ mǎ déi　wǎn hó yí

邋遢（肮脏）　实系（一定）
lǎ taʌ òŋ zhòŋ　　sǎt hǎi　yàt děŋ

焗（闷热）　翻风（刮风、起风）
gǒu mʌn yīt　　fàn fòng guaʌ fòng héi fòng

肚屙（拉肚子）　探热（量体温）
tóu ò　là tóu zí　　tam yīt　lɛǎng tʌi wàn

冷饭（剩饭）　乌蝇（苍蝇）
láng fǎn seŋ fǎn　　wù yèŋ còŋ yèŋ

揶（惹）　拍档（合伙）
yié yǔe　pʌ dɔŋ　hǒp fó

虾人（欺负人）　扼人（骗人）
hà yǎn hèi fǔ yǎn　　ngà yǎn pin yǎn

衰（缺德）
shuì küt dʌ

第 十 三 课 我 比 较 中 意 浅 颜 色 嘅
dʌi sʌ̌p sàm fo　ngó béi gɑu zhòng yi cín ngǎŋ sèk gie
我 比 较 喜 欢 浅 颜 色 的

64. A: 呢 啲 布 你 中 意 边 种 颜 色 嘅 ?
nì dìt bu néi zhòng yi bìn zhóng ngǎn sèk gie
这 些 布 你 喜 欢 哪 种 颜 色 的 ?

B: 我 比 较 中 意 吓 啲 浅 颜 色 嘅 。
ngó béi gɑu zhòng yi go dìt cín ngǎŋ sèk gie
我 比 较 喜 欢 这 些 浅 颜 色 的 。

A: 点 解 ?
dím gái
为 什 么 ?

B: 浅 颜 色 比 深 颜 色 鲜 艳 。
cín ngǎn sèk béi sàm ngǎn sèk sìn yin
浅 颜 色 比 深 颜 色 鲜 艳 。

A: 但 浅 颜 色 冇 深 颜 色 襟 污 糟 。
dǎn cín ngǎn sèk móu sàm ngǎn sèk kàm wù zhòu
但 浅 颜 色 没 深 颜 色 耐 脏 。

65. ○吓 仔 同 吓 女 都 好 叻 。
go zʌ̌i tǒng go nʌ́ei dòu hóu lìet
那 儿 子 和 那 女 儿 都 很 行 。

○吓 仔 嘅 数 学 叻 过 吓 女 ,
go zʌ̌i gie shou hʌ̌ lìet guo go nʌ́ei
那 儿 子 的 数 学 比 那 女 儿 的 好 ,

吓 女 嘅 英 文 叻 过 吓 仔 。
go nʌ́ei gie yèŋ mʌ̌n lìet guo go zʌ̌i
那 女 儿 的 英 语 比 那 儿 子 的 好 。

○吽 仔 冇 吽 女 勤 力，
go zǎi móu go nüéi kǎn lěk
那 儿子 没 那 女儿 勤奋

○吽 女 冇 吽 仔 咁 精 。
go nüéi móu go zǎi gǒm zhèŋ
那 女儿 没 那 儿子　　聪明 。

66. A：从 武汉 到 广州 远 定 系 从 武汉
chǒŋ móu hɔn dou gúɔŋ zhào yún dèŋ hǎi chǒŋ móu hɔn
从 武汉 到 广州 远 还是 从 武汉

到 北京 远？
dou bà gèŋ yún
到 北京 远？

B：从 武汉 到 北京 比 到 广州 远 一 百
chǒŋ móu hɔn dou bà gèŋ béi dou gúɔŋ zhào yún yàt bʌ
从 武汉 到 北京 比 到 广州 远 一 百

几 公 里 。
géi gòng léi
多 公 里 。

A：坐 火 车 平 定 系 坐 飞 机 平？
có fo ciè piěŋ dèŋ hǎi có fèi gèi piěŋ
坐 火 车 便 宜 还是 坐 飞 机 便 宜？

B：仲 使 讲 咩？ 哽 系 坐 火 车 平 喇 。
zhòŋ sʌi gǒŋ mie ngàŋ hǎi có fó ciè piěŋ la
还 用 说 吗？ 当然 是 坐 火 车 便 宜 了 。

67. ○地 球 比 月 光 大，
děi kǎo béi yǔt gùɔŋ dǎi
地 球 比 月 亮 大，

○太 阳 又 比 地 球 大 。
tai yǎng yào béi děi kǎo dǎi
太 阳 又 比 地 球 大 。

○有啲星星睇落去好似好细，
yáo dìt sìn sìn tʌi lɔ̌ hüeì hóu cí hóu sʌi
有些星星看上去好像很小，

○但系比太阳仲大好多添。
dǎn hʌ̌i béi tai yæ̌ng zhōng dǎi hóu dò tìm
却比太阳还大很多呢。

68. 下边两个问题，边个真，边个假？
hǎ bín lœ̆ang go mʌ̌n tʌ̌i bìn gɔ̌ zhʌ̀n bìn gɔ̌ gá
下面两个问题，哪个真，哪个假？

(1) 晏昼嘅太阳比早晨嘅庆，因为晏
an zhao gie tai yæ̌ng béi zhóu sʌ̌n gie heŋ yʌ̀n wʌ̌i an
中午的太阳比早晨的热，因为中

昼嘅太阳离我哋近啲。
zhao gie tai yæ̌ng lěi ngó děi kʌ̌n dìt
午的太阳离我们近些。

(2) 啱出山嘅太阳比晏昼嘅大，因为
ngàm chùt sàn gie tai yæ̌ng béi an zhao gie dʌ̌i yʌ̀n wʌ̌i
刚出山的太阳比中午的大，因为

晏昼嘅太阳离我哋远啲。
an zhao gie tai yæ̌ng něi ngó děi yún dìt
中午的太阳离我们远些。

● 词语注音释义

襟（耐）污糟（肮脏）叻（行、能干）
kʌ̀m nɔ̌i wù zhòu ɔ̀ŋ zhʌ̀n lièt hæ̌ŋ nǎng gɔn

勤力（用功、勤快）精（聪明）
kʌ̌n lěk yōng gòng kʌ̌n fai zhʌ̀n còng mʌ̌ŋ

平（便宜）月光（月亮）
piʌ̌ŋ pín yǐ yǔt gùɔ̀ŋ yǔt læ̌ang

似（像）庆（热）
cí zhæ̌ang heŋ yʌ̀t

第十四课　　　唔　　该
dǎi sǎp sí fo　　　　ḿ　gòi
劳驾（请，对不起，谢谢）

69. A：喂，你揞边个呀？
wái　néi wán bìn go a
喂，你找谁呀？

B：我揞陈莹小姐，唔该你叫佢接电话。
ngó wán cǎn yěŋ shíu jié　ḿ gòi néi giu kúéi zip dǐn wá
我找陈莹小姐，请你叫她接电话。

A：佢啱啱出去，有乜事呀？
kúéi ngàm ngàm chùt hüei　yáo màt sí a
她刚刚出去，有什么事吗？

B：佢翻嚟唔该叫佢打个电话畀我。我
kúéi fàn lei ḿ gòi giu kúéi dá gò dǐn wá béi ngó　ngó
她回来请叫她打个电话给我。我
叫李君。
giu léi guàn
叫李君。

A：几时打畀你好呢？
géi sí dá béi néi hóu nì
什么时候打给你好呢？

B：是但，几时都可以。唔该晒。
sí dǎn　géi sí dù hó yí　ḿ gòi sai
随便，什么时候都可以。谢谢你。

A：唔使唔该。
ḿ sái ḿ gòi
不用谢。

70. A：阿 姐，到 文 化 宫　站 唔 该 叫 我 一 声。
　　　a jié dou mǎn fa gòng zhǎm m̀ gòi gìu ngó yàt sèŋ
　　　大 姐，到 文 化 宫　站 请　喊 我 一 声。

　　B：唔，下 个 站　就 系 喇。请 准 备 好 落 车。
　　　m̀ hǎ go zhǎm zhǎo hǎi la céŋ zhún bèi hóu lɔ̌ cìe
　　　唔，下 个 站　就 是 了。请 准 备 好 下 车。

　　A：先 生，落 唔 落 车？唔 落 车 唔 该 借 下。
　　　sìn sàŋ lɔ̌ m̀ lɔ̌ cìe m̀ lɔ̌ cìe m̀ gòi jie há
　　　先 生，下 不 下 车？不 下 车 请　让 一 下。

　　B：哎 呀，你 呢 个 人　点 解 咁 伦 尽 㗎？
　　　ai à néi nì go yǎn dím gái gǎm lǔnʌ zhǔnʌ ga
　　　哎 哟，你 这 个 人　怎 么 这 样 冒 失 呢？

　　　好 声 啲 得 唔 得？我 嘅 脚 畀 你 踩 亲 啰。
　　　hóu sèŋ dìt dà m̀ dà ngó gie güe béi néi cái càn lo
　　　小 心 点 行 不 行？我 的 脚 被 你 踩 着 了。

　　A：真 系 唔 好 意 思。
　　　zhàn hǎi m̀ hóu yì si
　　　真 是 不 好 意 思。

71. A：请 问，从 深 圳 嚟 嘅 黄 才 先 生 系 唔
　　　céŋ mǎn cǒŋ sàm zhɐn lèi gie wǒŋ cǒi sìn sàŋ hǎi m̀
　　　请 问，从 深 圳 来 的 黄 才 先 生 是 不

　　　系 住 喺 呢 度？
　　　hǎi jǔ hǎi lì dǒu
　　　是 住 在 这 里？

　　B：等 下，我 睇 下 登 记 册。唔，佢
　　　dáŋ há ngó tái hà dàŋ gei cǐet m̀ küěi
　　　等 等，我 查 看 一 下 登 记 册。唔，他

　　　住 喺 三 楼 ３ ０ ８ 号 房。
　　　jǔ hái sàm lǎo sàm lèŋ baʌ hǒu fǒŋ
　　　住 在 三 楼 ３ ０ ８ 号 房。

A: 我 系 红 星 商 场 嘅业务员, 有 啲
ngó hǎi hǒng sèŋ shɐang cǎang gie yīp mǒu yǔn　yáo dìt
我 是 红 星 商 场 的 业务员, 有 些

事 揾 佢。 呢 张 系 我 嘅 名 片。
sǐ wán küéi　nì zhɐang hǎi ngó gie měŋ pin
事 找 他。 这 张 是 我 的 名 片。

B: 唔 该 畀 你 嘅 身 份 证 我 睇 下, 登 个
m̀ gòi béi néi gie sàn fǎn zheŋ ngó tɐi há　dàng go
请　 把 你 的 身 份 证 给 我 看 一 下, 登 个

记。…使 唔 使 带 你 去 呀?
geì　sái m̀ sái dai néi hüei a
记。…要 不 要 带 你 去 呢?

A: 唔 使 啰, 我 自 己 去 得 喇。 多 谢 晒。
m̀ sái lo　ngó zǐ géi hüei dà la　dò jǐe sai
不 必 了, 我 自 己 去 行 了。 谢 谢　。

● 词语注音释义

唔该 (请, 多谢, 对不起)
m̀ gòi　cén dò jǐe　dui bàt héi

是 但 (随便)　 伦 尽 (冒失)
sǐ dǎn　chuǐ bǐn　lǔn zhǔn　mǒu sàt

好 声 啲 (小心点)　 踩 亲 (踩着)
hóu sèŋ dìt　shíu sàm dím　cái càn　cái zhʌ

第十五课　买卖嘢（一）
dʌi sʌp ń fo　mái mǎi yíe　yʌ̀t
买卖东西（一）

72. A：嘿呀，正宗嘅广式腊鸭，真正正
　　　lěi a　zheŋ zhòng gie guʌŋ sèk lǎp ap　zhàn zheŋ zhěŋ
　　　哎呀，正宗的广式板鸭，真是好

　　　嘢！唔买睇下都好㗎。呢位大姐，
　　　yíe　ḿ mái tʌ́i　há dù hóu ga　nì wʌ́i dǎi jié
　　　东西！不买看一下都好的。这位大姐，

　　　买只试下啦。
　　　mái ziet sì há là
　　　买只试试吧。

　　B：点卖呀，几多钱一斤？
　　　dím mǎi a　géi dò cín yʌ̀t gàn
　　　怎样卖呀，多少钱一斤？

　　A：多咗唔要，少咗唔卖，明码实价，
　　　dò zhó ḿ yìu　shíu zhó ḿ mǎi　měŋ má sʌ̌t ga
　　　多了不要，少了不卖，明码实价，

　　　十八蚊。
　　　sʌ̌p bɑʌ mʌ̀n
　　　十八块。

　　B：哗，点解咁贵㗎？平啲得唔得？
　　　wa　dím gái góm guʌi ga　piěŋ dìt dʌ̀ ḿ dʌ̀
　　　哗，怎这么贵？便宜点行吗？

　　A：你话几多？你睇咁好嘅嘢啊！
　　　néi wǎ géi dò　néi tʌ́i góm hóu gie yíe a
　　　你说多少？你看多好的东西啊！

　　B：十五蚊，点吖？
　　　sʌ̌p ń mʌ̀n　dím a
　　　十五元，怎么样？

A：阿　姐，十　五　蚊　本　钱　都　唔　够　啦，我　揢
　　a jié　sǎp ń màn bún cǐn dù ḿ gao là　ngó ló
　　大　姐，十　五　元　本　钱　都　不　够　呀，我　拿

翻　嚟　都　十　六　蚊。咁　啦，我　睇　你　诚
fàn léi dòu sǎp lǒu màn　　gɔm là　ngó tái néi sěn
回　来　都　十　六　块。这样吧，我　看　你　诚

心　要　买，我　蚀　本　卖　畀　你。十　五　蚊，
sàm yiu mái　　ngó sǐt bún mǎi béi néi　sǎp ń màn
心　要　买，我　亏　本　卖　给　你。十　五　块，

做　个　广　告。抵　食，下　次　再　嚟。
zhou go gúɔn gou　dái sěk　　hǎ cì zhɔi léi
做　个　广　告。划　得　来，下　次　再　来。

B：咁　称　一　只　畀　我，唔　要　咁　肥　嘅。
　　gɔm cèn yàt ziet béi ngó　ḿ yiu gɔm féi gie
　　那就　称　一　只　给　我，不　要　太　肥　的。

A：边　只？呢　只？好，睇　称。两　斤　一，算
　　bìn ziet　nì ziet　hóu　tái cen　lǎng gà yàt　shün
　　哪　只？这　只？好，看　称。两　斤　一，算

两　斤，啱　啱　三　十　蚊。
yéáng gàn　ngàm ngàm sàm sǎp màn
两　斤，刚　好　三　十　块。

73. A：大　嫂，买　啲　乜　嘢？
　　　dǎi shóu　mái dìt màt yíe
　　　大　嫂，买　点　什　么？

B：畀　吓　件　运　动　衫　我　睇　下。
　　béi go gǐn wǎn dǒng sàm ngó tái há
　　把　那　件　运　动　衫　我　看　一　下。

A：呢　件　系　李　宁　牌　运　动　衫，质　量　都　几
　　nì gǐn hǎi léi nén pǎi wǎn dǒng sàm　zàt lǎng dòu géi
　　这　件　是　李　宁　牌　运　动　衫，质　量　是　很

好 吖嘛 。 名 牌 嘢 嗛 㗎 。
hóu go wo　měŋ pǎi yíe lěi ga
好 的 　 。 名 牌 货 来 的 。

B: 吖件系 几 大 㗎 ？
go gǐn hǎi géi dǎi ga
那 件 是 多 少 号 的 ？

A: 八 十 五 公 分 嘅 。 系 畀 你 吖 仔 买 㗎 ？
baʌ sǎp ń gòng fàn gie　hǎi béi néi go zʌi mái ga
八 十 五 公 分 的 。 是 给 你 　 儿 子 买 的 吧 ？

B: 系 呀 , 可 唔 可 以 畀 佢 试 下 ？
hǎi a　hó m̌ hó yí béi kúéi sì há
是 呀 , 可 不 可 以 给 他 试 一 下 ？

A: 当 然 可 以 啦 , 佢 着 至 醒 啦 。
dɔŋ yún hó yí là　kúéi jüe zi séŋ la
当 然 可 以 　 , 他 穿 才 气 派 呢 。

B: 唔 , 靓 都 系 几 靓 嘅 , 就 系 细 咗 啲 。
m̌　lieŋ dòu hǎi géi lieŋ gie　zhǎo hǎi sʌi zhó dìt
唔 , 漂 亮 倒 是 漂 亮 　 , 就 是 小 了 点

而 加 着 仲 嘛 嘛 哋 , 出 年 怕 就 细 喇 。
yí gà jüe zhǒng mǎ mǎ déi　chùt nǐn pa zhǎo sʌi la
现 在 穿 还 可 以 　 , 来 年 怕 就 小 了 。

有 冇 大 啲 码 㗎 ？
yáo móu dǎi dìt má ga
有 没 有 大 点 号 的 ？

A: 有 , 大 细 码 都 有 。 我 攞 畀 你 。 唔 , 呢
yáo　dǎi sʌi má dòu yáo　ngó ló béi néi　m̌　nì
有 , 大 小 号 都 有 。 我 拿 给 你 。 唔 , 这

件 系 九 十 公 分 嘅 。 试 下 , 唔 啱 ,
gǐn hǎi gáo sǎp gòng fàn gie　si há　m̌ ngàm
件 是 九 十 公 分 的 。 试 试 , 不 合 身 ,

仲　有　大　嘅。
zhǒng yáo dǎi gie
还　有　大　的。

B：哦，呢件啱，就买呢件喇。
　　o　nì gǐn ngàm　zhǎo mái nì gǐn la
　　哦，这件好，就买这件好了。

A：质量有问题，保证退换。
　　zàt lǎng yáo mǎn tǎi　bóu zheŋ tui wǔn
　　质量有问题，保证退换。

●词语注音释义

十八蚊（十八元）　点啫（怎么样）
sǎp bʌ màn sǎp bʌ yǔn　dím jiè zhʌm mò yəǎng

抵食（划得来，值得吃）　细（小）
dʌi sěk fà dà lói zěk dà hàt　sʌi shiú

第十六课 买卖嘢（二）

dǎi sʌ̌p lǒu fo   mái mǎi yíe
买 卖东西（二）

74. A: 嚟 呀！真 正 嘅 牛 皮 鞋，大 减 价，原
lěi a   zhàn zheɳ gie ngǎo pěi hǎi   dǎi gám ga   yǔn
来 呀！真 正 的 牛 皮 鞋，大 减 价，原

价 九 十 八，而 加 五 十，好 机 会，咪
ga gáo sʌ̌p baʌ   yǐ gà ń sʌ̌p   hóu gèi wuí   mái
价 九 十 八，现 在 五 十，好 机 会，别

错 过 。
co guo
错 过 。

B: 拎 对 三 十 九 码 嘅 我 睇 下 。
nèɳ dui sàm sʌp gáo má gie ngó tʌi   há
拿 双 三 十 九 码 的 我 看 一 下 。

A: 唔，呢 双 系 三 十 九 码 嘅 。吤 度 有
ń   nì shàang hǎi sàm sʌp gáo má gie   go dǒu yáo
唔 ，这 双 是 三 十 九 码 的 。那 里 有

张 凳，坐 低 试 啦 。
zhàang dang   có dài si   là
张 凳，坐 着 试 吧 。

B: 啱 就 系 几 啱 嘅，平 啲 得 唔 得？
ngàm zhǎo hǎi géi ngàm gie   pièɳ dìt dà ḿ dà
合 适 倒 是 合 适 ，便 宜 点 行 不 行？

A: 已 经 够 平 吤 啰，蚀 本 卖 嘞 啦 。
yí gèɳ gao pièɳ go lo   sĭt bún mǎi ga   la
已 经 够 便 宜 的 了 ，亏 本 卖 的 呀 。

B: 点 解 一 啲 价 都 唔 减 嘞？
dím gái yʌ̀t dìt ga dù ḿ gám ga
怎 么 一 点 价 都 不 减 的？

四十 蚊 ， 我 买 一 对 ， 点 啫 ？
si sǎp màn ngó mái yàt duì dím jiè
四 十 元 ， 我 买 一 双 ， 怎么 样 ？

A: 你 呢 个 人 真 系 …… 好 ， 四 十 蚊 就 四
néi nì go yān zhàn hǎi hóu si sǎp màn zhǎo si
你 这 个 人 真 是 …… 好 ， 四 十 元 就 四

十 蚊 ， 我 呢 个 人 就 系 咁 爽 快 ， 横
sǎp màn ngó nì go yǎn zhǎo hǎi gǎm shóŋ fai wàng
十 元 ， 我 这 个 人 就 是 这么 爽 快 ， 反

惦 都 系 蚀 本 吓 啰
dím dòu hǎi sìt bún go lo
正 都 是 亏 本 了 的 。

B: 咁 就 多 揢 几 对 畀 我 拣 下 …… 唔 ， 我
gǎm zhǎo dò ló géi duì béi ngó gǎm há m̌ ngó
那 就 多 拿 几 双 给 我 挑选 一 下 …… 唔 ， 我

买 呢 对 。 呢 张 系 一 百 蚊 纸 。
mái nì duì nì zhèàng hǎi yàt bɐ màn zí
买 这 双 。 这 张 是 一 百 元 的 钞票 。

A: 有 冇 散 纸 呀 ？
yáo móu sán zí a
有 没 有 散 钱 呀 ？

B: 就 得 呢 张 喇 。
zhǎo dà nì zhèàng la
就 是 这 张 了 。

A: 找 翻 你 六 十 蚊 ， 你 点 下 。
zháu fàn néi lɵu sǎp màn néi dím há
找 回 你 六 十 元 ， 你 点 一 下 。

B: 冇 错 。 唔 该 你 帮 我 装 好 啲 。
móu cɔ m̌ gòi néi bòŋ ngó zhòŋ hóu dìt
没 错 。 请 你 给 我 装 好 点 。

A：**好。请多光临。唔送。**
hóu céŋ dò guɔ̀ŋ lǎm m̌ shong
好。请多光临。不送了。

75. B：**唉，老板，你呢对鞋点咁化学㗎？**
ai lóu bán néi nì duì hǎi dím gɔ́m fa hɔ̌ ga
唉，老板，你这双鞋质量怎么这样差？
着咗唔够两日就烂咗，开咗咁大
jüe zhó m̌ guo ləáng yʌ̌t zhǎo lǎn zhó hɔ̀i zhó gɔ́m dǎi
穿了不到两天就坏了，开了这么大
吓口，点着啫？
go háo dím jüe jiè
个口，怎么穿呢？

A：**哎呀，大姐，你系几时喺呢度买㗎？**
ai ya dǎi jié néi hʌ̌i géi sǐ hʌ́i nì dǒu mái ga
哎呀，大姐，你这是几时在这里买的？

B：**你唔记得啰咩？就系前日，礼拜日喺**
néi m̌ gei dʌ̀ lo miè zhǎo hʌ̌i cǐn yʌ̌t lʌ́i bai yʌ̌t hʌ́i
你忘了吗？就是前天，星期天在
呢度买嘅。你喊大减价车大炮话系
nì dǒu mái gie néi ham dǎi gám ga ciè dǎi pau wǎ hʌ̌i
这里买的。你喊大减价吹牛说是
真正嘅牛皮鞋，五十蚊一对。我
zhʌ̀n zheŋ gie ngǎo pěi hǎi ń sʌ̌p mʌ̀n yʌ̀t duì ngó
真正的牛皮鞋，五十元一双。我
后来四十蚊买咗呢对。
hǎo lɔ̌i sì sʌ̌p mʌ̀n mái zhó nì duì
后来四十元买了这双。

A：**你应该知道啦，既然系大减价，质**
néi yèŋ gɔ̀i zì dou là gei yǔn hʌ̌i dài gám ga zʌ̀t
你应当知道啦，既然是大减价，质

量 实 差 啲，系 咁 吟 喇。
leǎng sǎt cà dìt hǎi gǎm go la
量 肯定 差点，是 这样 的 了。

B：你……点 咁 唔 讲理 㗎？质 量 差，
néi dím gǎm m̀ gǒn léi ga zàt leǎng cà
你……怎么 这么 不 讲理 的？质 量 差，

总 唔 可以 差 到 静 系 着 两 日。你 话 系
zhóng m̀ hó yí cà dou zʌi hǎi jüe leǎng yǎt néi wǎ hǎi
总 不 可以 差 到 只 穿 两 天。你 说 是

牛 皮 嘅，有 咁 唔 襟 嘅 牛 皮 吟 咩？
ngǎo pěi gie yáo gǎm m̀ kʌm gie ngǎo pěi go miè
牛 皮 的，有 这么 不 耐穿 的 牛 皮 吗？

你 拃人！
néi ngʌ yʌn
你 骗人！

A：你 而加 要 点 啫？鬼 知 道 你 系 点 着
néi yǐ gà yiu dím jiè guái zì dou néi hǎi dím jüe
你 现 在 要 怎么 样？鬼 知 道 你 是 怎么 穿

嘅。
gie
的。

B： 点 ？退 翻 畀 你。
dím tui fàn béi néi
怎么样？退 还 给 你。

A：你 要 退货，冇 咁 容 易。
néi yiu tui fo móu gǎm yǒng yí
你 要 退货，没 那么 容 易。

B：你 唔 退，我 可以 告 你。
néi m̀ tui ngó hó yí gou néi
你 不 退，我 可以 告 你。

A：你 告 我？有 本 事 就 告 啰！边 度 告 我
　　néi gou ngó　yáo bún sǐ zhǎo gou lo　bìn dǒu gou ngó
　你 告 我？有 本 事 就 告 吧！哪 里 告 我

　都 唔 怕。你 有 乜 凭 据？点 知 道 你 呢
　dù m̌ pa　néi yáo màt pěŋ güei　dím zì dou néi nì
　都 不 怕。你 有 什 么 凭 据？怎 知 道 你 这

　对 鞋 系 唔 系 真 嘅 喺 呢 度 买 嘅。
　duì hǎi hǎi m̌ hǎi zhàn gie hái nì dǒu mái gie
　双 鞋 是 不 是 真 的 在 这 里 买 的。

B：哗，你 够 阴 湿！咁 唔 讲 信 任。我 唔
　　wa　néi gao yàm sàp　gám m̌ góŋ shun yǎn　ngó m̌
　哗，真 够 狡 猾！这 么 不 讲 信 用。我 不

　告 你，就 算 你 系 我 仔！算 我 当 衰。
　gou néi　zhǎo shün néi hǎi ngó zái　shün ngó dɔn shuǐ
　告 你，就 算 你 是 我 儿 子！算 我 倒 霉。

　你 睇 住 咪，你 咁 叫 做 生 意，真 系 激
　néi tʌi jü lei　nei gám giu zhou sàng yi　zhàn hǎi gèk
　你 走 着 瞧，你 这 叫 做 什 么 生 意，真 是 气

　死 人！
　séi yǎn
　死 人！

● 词语注音释义

咪 错 过（别 错 过）　拎（拿）　横 掂（反 正）
mʌi co guo bǐt co guo　nèŋ ná　wǎŋ dím fán zheŋ

拣（挑 选）　银 纸（钞 票）　散 纸（零 钱）
gám tiù shún　ngǎn zí càu piu　sán zí lěŋ cǐn

化 学（质 量 差）　烂（坏）　车 大 炮（吹 牛）
fa hǒ zàt lǎŋ cà　lǎn wǎi　ciè dǎi pau cuì ngǎo

阴 湿（狡 猾）　当 衰（倒 霉）　激 人（气 人）
yàm sàp gáu wǎʌ　dɔn shuǐ dóu muǐ　gèk yǎn hei yǎn

第三单元 复习测试题

（一）拼读注音，写出词语（每小题1分）

1. lǎp ap（   ）　　　　2. guóŋ gou（   ）

3. shūn yʌm（   ）　　　4. lǎʌ jiù（   ）

5. zʌt lǎŋ（   ）　　　　6. zhún běi（   ）

7. dǐn wá（   ）　　　　8. wǎn dǒŋ（   ）

9. bóu zheŋ（   ）　　　10. gái küt（   ）

（二）判断下列各组字的粤语读音是否相同。相同的用 S 表
　　示，不同的用 D 表示（每小题1分）

1. 起 齐（   ）　　　　2. 法 发（   ）

3. 旧 就（   ）　　　　4. 阴 因（   ）

5. 军 君（   ）　　　　6. 粤 越（   ）

7. 既 记（   ）　　　　8. 声 星（   ）

9. 小 少（   ）　　　　10. 较 教（   ）

（三）写出下列粤语惯用口语的书面文（每小题1分）

1. 好彩（   ）　　　　2. 架势（   ）

3. 同埋（   ）　　　　4. 是但（   ）

5. 襟着（   ）　　　　6. 阴湿（   ）

7. 车大炮（   ）　　　8. 咁蚊（   ）

9. 伦尽（   ）　　　　10. 横惦（   ）

11. 实行（   ）　　　　12. 拍挡（   ）

13. 掹人（   ）　　　　14. 抵食（   ）

15. 飞发（   ）　　　　16. 阻咗（   ）

17. 啱啱（   ）　　　　18. 焗（   ）

19. 一阵间（   ）　　　20. 嘛嘛哋（   ）

（四）写出下列词语的粤语惯用口语（每小题1分）

1. 便宜（　　）　　　　2. 该死（　　）

3. 下车（　　）　　　　4. 开水（　　）

5. 口渴（　　）　　　　6. 钞票（　　）

7. 呕气（　　）　　　　8. 刮风（　　）

9. 挑选（　　）　　　　10. 取回（　　）

11. 勤快（　　）　　　　12. 不行（　　）

13. 坏了（　　）　　　　14. 肮脏（　　）

15. 能干（　　）　　　　16. 很像（　　）

17. 给我（　　）　　　　18. 拿着（　　）

19. 苍蝇（　　）　　　　20. 挤人（　　）

（五）写出下列粤语惯用口语的书面文（每小题2分）

1. 食紧饭，行紧路，瞓嚟床，唔好睇书。

2. 呢啲水煲咗咁耐点解仲唔滚㗎?

3. 我啱睇见佢挩紧只篮仔出去买嘢。

4. 唔该拎吓呀对鞋我着试下睇啱唔啱。

5. 呢件衫比我着紧嘅呢件平十零蚊。

6. 呢啲嘢好化学㗎，你实系被人㧜咗啰。

7. 我睇佢呢个人好似好精咁样，点会谂到佢系个傻仔嚟嘅。

8. 叫佢哋同埋我哋一齐搭车去好喇。

（六）写出下列句子的粤语惯用口语（每小题2分）

1. 这件衣服太小了，叫他怎么穿呢?

2. 里边太闷热，出来坐一下吧。

3. 你随便什么时候来都行，反正我在家没什么事。

4. 李明刚刚给她打了个电话。

5. 这里用水很不方便，你们一定想办法尽快解决。

6. 从这里到你们那里坐火车好还是坐轮船好?

7. 她说她儿子那么能干,我看她准是吹牛的。

(七) 根据自己的实际情况,用粤语回答问题 (每小题2分)

1. 你中意着乜嘢鞋? 着几大码嘅?

2. 你中意乜嘢颜色嘅衫裤? 点解?

3. 你哝咪经常买嘢? 还唔还价? 点还价?

4. 你买嘢被人扼过钱未? 几时,点样被扼嘅?

5. 用广州话解释,为乜啱啱出山嘅太阳睇起来好似比晏昼嘅太阳大好多?

第十七课　谜语10条
dʌi sʌp cʌt fo　mʌi yú sʌp tiu
谜语 10 条

76. 千条线　万条线，跌落地下揾唔见。
cìn tíu sìn，mǎn tíu sin　dǎp lǒ dei hǎ wán m̌ gìn
千条线，万条线，掉落地下看不见。

—— 打一自然现象
dá yʌt zǐ yìn yiu zhəŭng

77. 黑嘴雀，落田涡，食水少，讲话多。
hʌ̀ zuí jue　lǒ tǐn wò　sěk shuí shiú　góŋ wǎ dò
黑咀雀，下田里，吃水少，讲话多。

—— 打一文具
dá yʌt mǎn güěi

78. 竹丝鸡，扁头郎，垃圾缸，乌藕塘
zhòu sì gʌ̀i　bín tǎo lǒŋ　lǎp sap gòŋ　wù ngáo tǒŋ
竹丝鸡，扁头郎，垃圾缸，乌藕塘。

—— 打厨房用品四种
dá chǔ fǒŋ yǒng bʌ́n sí zhóng

79. 食鱼食肉唔饮酒，食瓜食菜唔食黄
sěk yǔ sěk yǒu m̌ yʌ́m zhao　sěk guǎ sěk cɔi m̌ sěk wǎŋ
吃鱼吃肉不喝酒，吃瓜吃菜不吃黄
豆。
dǎo
豆。

—— 打一厨房用品
dá yʌt chǔ fǒŋ yǒng bʌ́n

80. 柑子样，桔子相，皮在中间肉在
gòm zí yəǎng　gʌ̀t zí shəang　pěi cói zhòng gan yəu cói
柑子样，桔子相，皮在中间肉在

上 。
shɐǎng
上 。

—— 打一食品
dá yàt sěk bʌ́n

81. 水 底 捻 捻, 手 甲 长 长, 剁 头 冇 血, 剥 肚
shuí dʌ́i nǐm nǐm shǎo gap cɐǎng cɐǎng dɔ tǎo móu hüt tɔŋ tóu
水 底 绵 绵, 指 甲 长 长, 砍 头 无 血, 剥 肚

冇 肠
móu cɐǎng 。
没 肠 。

—— 打一水产品
dá yàt shúi cán bʌ́n

82. 麻 屋 企, 红 毡 里, 入 边 瞓 紧 个 白 肥 仔, 边
mǎ ɔu kéi hǒng zìn léi yǎp bín fʌn gán go bǎ féi zʌ́i bìn
麻 屋 子, 红 毯 子, 里 头 睡 着 个 白 胖 子, 谁

个 估 到 请 佢 食 。
go gú dou céŋ küei sěk
猜 着 了 请 他 吃 。

—— 打一食品
dá yàt sěk bʌ́n

83. 青 布 包 白 布, 白 布 包 梳 仔。 梳 仔 包 虾
cèŋ bu bàu bǎ bu bǎ bu bàu sò zʌ́i sò zʌ́i bàu hà
青 布 包 白 布, 白 布 包 梳 子。 梳 仔 包 虾

米, 虾 米 包 酸 醋 。
mʌ́i hà mʌ́i bàu shǔn chou
米, 虾 米 包 酸 醋 。

—— 打一生果
dá yàt sàng gúo

84. 一 个 "不" 出 头, 二 个 "不" 出 头, 三 个
yàt go bàt chùt tǎo yǐ go bàt chùt tǎo sàm go
一 个 "不" 出 头, 两 个 "不" 出 头, 三 个

"不"出头，唔系唔出头，实系"不"
bàt chùt tǎo 　　ḿ hǎi ḿ chùt tǎo 　　sǎt hǎi bàt
"不"出头，"不"是"不"出头，实是"不"

出头。
chùt tǎo
出头。

　　　　　　　　　　　　—— 打一字
　　　　　　　　　　　　　dá yàt zǐ

85. 穆桂英打入幽州城，要铁将军打
mǒn guʌi yèŋ dá yǎp yǒu zhào sěŋ 　　yiu tit zhəàng guʌn dá
穆桂英打进幽州城，要铁将军搭

救正得出。
gɐo zheŋ dǎ cʌt
救才得出。

　　　　　　　　　　　　—— 打一词语
　　　　　　　　　　　　　dá yàt cǐ yú

注：在口语中"跌"dit 读 dʌp，"垃圾"读 lǎp sap

谜底

76. 下雨　　77. 毛笔　　78. 锅刷、锅铲、炉灶、铁锅
79. 菜刀　　80. 鸡肫　　81. 虾子　　82. 花生
83. 柚子　　84. 森　　　85. 挑刺

第 十 八 课 　 常 用 语 气 助 词 例 句
dǎi sʌ̌p baʌ fo　　Cəăng yong yú hei zǒ cǐ lʌ̌i güei

86. 喇 ɑ (了 lɔ, liú)

　　○唔 使 客 气 喇 。
　　　m̌ sʌ́i hʌ hei lɑ
　　　不 必 客 气 了 。

　　○咁 就 滚 搞 你 哋 喇 。
　　　góm zhǎo guʌ́n gáu néi deǐ lɑ
　　　这 就 麻 烦 你 们 了 。

87. 啦 là (吧 bɑ)

　　○入 嚟 坐 下 啦 。
　　　yʌ̌p lěi có há là
　　　进 来 坐 一 下 吧 。

　　○畀 翻 人 哋 啦 。
　　　béi fàn yʌ̌n deǐ là
　　　给 回 人 家 吧 。

88. 添 tìm (A: 吧 bɑ; B: 呢 nì)

　　○再 等 几 个 字 添 ， 佢 就 翻 嚟 吓 喇 。
　　　zhɔi dáng géi go zǐ tìm küéi zhǎo fàn lěi go lɑ
　　　再 等 十 几 分 钟 吧 ， 他 们 就 回 来 啦 。

　　○有 时 吩 度 比 武 汉 仲 热 嚟 。
　　　yáo sǐ go doǔ béi mǒu hʌn zhōng yǐt tìm
　　　有 时 那 里 比 武 汉 还 热 呢 。

　　○吩 细 蚊 仔 真 叻 ， 仲 识 讲 啲 外 语 嚟 。
　　　go sʌ̌i màn zʌ́i zhʌ̀n lìet zhōng sèk gʌ̌ŋ dìt ngǐ yú tìm
　　　那 小 孩 子 真 行 ， 还 会 讲 点 外 语 呢 。

89. 㗎 gɑ (A: 的 dèk ; B: 呀 ɑ)

○ 呢 啲 衫 有 冇 男 装 㗎？
　nì dìt sàm yáo móu nǎm zhòŋ ga
　这 些 衣 有 没 有 男 式 的 ？

○ 呢 个 人 点 解 咁 孤 寒 㗎？
　nì go yǎn dím gái gɔm gù hɔ̀n ga
　这 个 人 为 啥 如 此 吝 啬 呀 ？

90. 嗟 jiè (A：呢 nì；B：呀 a)

○ 边 个 叫 你 咁 晏 至 嚟 吖 嗟？
　bìn go giu néi gɔm an zi lèi go jiè
　谁 叫 你 这 么 晚 才 来 呢 ？

○ 你 哋 喺 呢 度 倾 乜 嘢 嗟？
　néi děi hái nì dòu kèŋ màt yíe jiè
　你 们 在 这 里 谈 什 么 呀 ？

91. 咩 miè (吗 ma)

○ 系 咁 吖 咩？
　hǎi gɔm go miè
　是 这 样 的 吗 ？

○ 你 真 嘅 唔 怕 佢 哋 咩？
　néi zhàn gie m̌ pa kúéi děi miè
　你 真 的 不 怕 他 们 吗 ？

92. 呢 nì

○ 我 嘅 都 有 着 喇，咁 佢 呢？
　ngo gie dòu yáo zhɔ la gɔm kúéi nì
　我 们 都 有　　了，那 你 的 呢 ？

○ 啱 啱 出 着 粮，我 吩 银 包 呢？
　ngàn ngàn chùt zhɔ lɛ̌ŋ ngo go ngǎn bào nì
　刚 刚 发 工 资，我 的 钱 包 呢 ？

93. 噃 bo (吧 ba)

○ 唔 好 嘈 啰 噃。
　m̌ hóu cǒu lo bo
　别 　 吵 了 吧 。

○唔 好 虾 人 家 细 蚊 仔 嘈 。
ṁ hóu hà yān gà sʌi màn zʌi bo
别 欺 负 人 家 小 孩 吧 。

94. 啰 lo (了 lɔ)

○时 间 唔 早 啰 。
sǐ gàn ṁ zhóu lo
时 间 不 早 了 。

○我 好 耐 冇 到 吟 度 啰 。
ngo hóu nǐ móu dou go doǔ lo
我 很 久 没 有 到 过 那 里 了 。

95. 吟 喇 go la (的 了 dèk lɔ)

○系 咁 吟 喇 。
hʌi gɔm go la
是 这 样 的 了 。

○卖 晒 吟 喇 。
mǎi sai go la。
卖 完 了 啦 。

96. 吟 喎 go wo (的 呀 dèk ɑ)

○吟 度 好 黑 吟 喎 。
go doǔ hóu hà go wo
那 里 很 黑 暗 的 呀 。

○你 咁 讲 唔 系 几 惦 吟 喎
néi gɔm gɔŋ ṁ hʌi géi dǐm go wo。
你 这 样 说 会 收 不 了 场 的 。

○呢 啲 肉 几 香 , 我 谂 都 会 好 食 吟
nì dìt yǔ géi hàng ngó nám dòu wui hóu sěk go
这 些 肉 真 香 , 我 想 定 会 是 好 吃 的
喎 。
wo
呀 。

97. 吤啰喎 go lo wo（的了啦 dèk líu là）

　○ 出 年 我 就 六 十 吤 啰 喎 。
　　chùt nǐn ngo zhǎo lǒu sǎp go lo wo
　　明 年 我 就 六 十 岁 啦 。

　○ 吤 阵 日 本 投 降 咗 吤 啰 喎 。
　　go zhǎn yǎt bún tǎo hǒŋ zhó go lo wo
　　那 时 日 本 投 降 了 啦 。

98. 吧 ba

　○ 佢 系 你 嘅 阿 叔 吧 ？
　　kǔéi hǎi néi gie a shòu ba
　　他 是 你 的 叔 叔 吧 ？

　○ 唔 使 喇 我 自 己 嚟 吧 。
　　m̌ sǎi la，ngó zǐ géi lěi ba
　　不 用 了 ，我 自 己 来 吧 。

99. 呀 a

　○ 呢 只 猪 真 肥 呀 ！
　　nì ziet jǔ zhǎn fěi a
　　这 头 猪 真 肥 呀 ！

　○ 佢 哋 几 时 至 翻 得 嚟 呀 ？
　　kǔei děi géi sǐ zi fàn dà　lěi　a
　　他 们 什 么 时 候 才 能 回 来 呀 ？

100. 吗 ma

　○ 陈 师 傅 喺 屋 企 吗 ？
　　càn sì fú hǎi òu kéi ma
　　陈 师 傅 在 家 吗 ？

　○ 今 晚 嘅 戏 票 仲 买 得 到 吗 ？
　　gàm mán gie hei piu zhòng mái dà dóu ma
　　今 晚 的 戏 票 还 买 得 到 吗 ？

●词语注音释义

滚　搞（打扰）　唔得惦（不得了）
guǎn gán　dá nǎu　ḿ dà dǐm　bàt dà liú

孤寒（吝啬）　出粮（领工资）
gù hòn　lěŋ sèk　chùt lǎŋ　léŋ gòng zi

旧时（过去）　银包（钱包）
gǎo sǐ　guo hüei　ngǎn bào　cǐn bàu

综合复习测试题

一、从 ABC 中找出一个其粤语读音与所给注音相符的词
（每小题 1 分）

1. gái fɔŋ （　　　） A. 解放　B. 街上　C. 该讲

2. zheŋ měŋ （　　　） A. 精神　B. 诚实　C. 证明

3. mǎn fa （　　　） A. 搵花　B. 文化　C. 问话

4. zhún běi （　　　） A. 准备　B. 真皮　C. 深浅

5. m̌ hǎi （　　　） A. 唔系　B. 唔喺　C. 无害

6. yǎn wǎi （　　　） A. 一位　B. 人为　C. 因为

7. càm gà （　　　） A. 寒假　B. 参加　C. 增加

8. zǐ géi （　　　） A. 时机　B. 已经　C. 自己

9. tui wǔn （　　　） A. 对门　B. 退换　C. 跳舞

10. gàu tòng （　　　） A. 交通　B. 够镬　C. 沟通

二、找出一个与另外三个读音不同的词（每小题 1 分）

例：鸡机基饥（鸡）

1. 蕉交椒朝（　　　）　　2. 羽屿宇雨（　　　）

3. 或划斡活（　　　）　　4. 艺亿益抑（　　　）

5. 万慢蛮满（　　　）　　6. 叶页也业（　　　）

7. 音阴饮因（　　　）　　8. 班斑搬扳（　　　）

9. 啤皮脾疲（　　　）　　10. 保堡宝饱（　　　）

11. 九久狗酒（　　　）　　12. 张章将江（　　　）

13. 根斤中今（　　　）　　14. 次刺厕尺（　　　）

15. 际济制季（　　　）　　16. 贯惯罐冠（　　　）

17. 集习疾激（　　　）　　18. 行幸醒衡（　　　）

19. 事细世势（　　　）　　20. 失室虱拾（　　　）

三、在A组找出与B组的词意义相同的词（每小题1分）

A组：冚 似 愦 仲 边 吖 嘅

叻 庆 执 拑 迫 晒 谂

襟 耐 喺 系 咗 呢 悭 落

罤 拣 睇 企 啲 话 嚟 瞓

B组：1.还（　）　2.哪（　）　3.取（　）　4.的（　）

5.是（　）　6.下（　）　7.捡（　）　8.选（　）

9.省（　）　10.盖（　）　11.睡（　）　12.完（　）

13.在（　）　14.说（　）　15.站（　）　16.耐（　）

17.挤（　）18.给（　）　19.热（　）　20.些（　）

21.累（　）22.来（　）　23.那（　）　24.这（　）

25.行（　）26.想（　）　27.看（　）　28.久（　）

29.了（　）30.像（　）

四、选择适当的词语填空（每小题2分）

1. 请问，陈经理嘅办公室喺_____？

　　A. 吖度　B. 边度　C. 边个　D. 呢个

2. 好声啲，唔好咁_____嘛。

　　A. 犀利　B. 吟谮　C. 伦尽　D. 硬颈

3. 扼人家细蚊仔嘅钱，你话佢_____吖？

　　A. 衰唔衰　B. 烂唔烂　C. 悭唔悭　D. 嫡唔嫡

4. 哗，啲腊鸭真肥！我怕都会好食_____！

　　A. 吖咩　B. 吖哦　C. 吖啫　D. 吖啰

5. 呢件褛太细喇，你喊佢_____啫。

　　A. 点着　B. 点样　C. 唔着　D. 唔啱

6. 是但几时嚟都得_____呢几日我喺屋企有事。

　　A. 唔该　B. 横惦　C. 咁样　D. 好彩

7. 你真识车大炮，讲得_____真嘅咁样。

　　A. 好彩　　B. 好声　C. 好似　D. 好叻

8. 唔使客气，喊佢_____我哋一齐去饮茶啦。

　　A. 同埋　　B. 实行　C. 定系　D. 碰彩

9. 呢个煲用咗十几年喇，几_____啊!

　　A. 标青　　B. 化学　C. 襟使　D. 啱使

10. 人哋嘅意见一啲都听唔入，点咁____㗎?

　　　A. 阴湿　　B. 咸湿　C. 硬颈　D. 架势

五、用粤语回答问题。(每小题 2 分)

1. 你叫乜嘢名? 系边度人?

2. 你今年几岁? 你系几时出世嘅?

3. 你住喺边度? 联系电话系几多?

4. 你屋企有几多人? 佢哋都系你嘅乜嘢人?

5. 你老豆喺边度工作? 佢系做边一行嘅?

6. 你系边间学校毕业嘅? 你学过乜嘢专业?

7. 你最中意乜嘢课? 你边门课最叻?

8. 你学过乜嘢外语? 识讲几种外语?

9. 你有乜特长? 有咩技术、技能?

10. 你要做乜嘢工作? 你最理想嘅系乜嘢工作?

三、粤语惯用口语——书面语对照

粤语是汉语的一种方言，因而学习粤语无须像学习外语那样记很多的单词、词组和语法规则。一般来讲，地方语都存在一些与书面语不同的惯用口语，如粤语口语中的乜嘢（什么）、边度（哪里）、睇（看）、一蚊鸡（一块钱）等，这些是学习粤语的重点、难点。可以说，懂得了这些惯用口语，粤语就学通了一半。本章收集了与普通话差异较大的、日常生活使用频率较高的惯用口语，便于学习者参照应用。

（一）代词

1. 边 — 哪
   bìn   ná

2. 边度 — 哪里
   bìn dǒu   ná léi

3. 边个 — 哪个,谁
   bìn go   ná go shǔi

4. 哋 — 们
   děi   mǔn

5. 吩 — 那
   go   ná

6. 吩度 — 那里
   go dǒu   ná léi

7. 佢 — 他她它
   kúei   tā

8. 乜嘢 — 什么
   màt yié   sǎm mò

9. 你嘅 — 你的
   néi gie   néi dèk

10. 呢 — 这
    nì   jié

11. 呢啲 — 这些
    nì dìt   jié xiè

12. 呢度 — 这里
    nì dǒu   jié léi

（二）介词

13. 喺 — 在
    hái   zhǒi

（三）副词

14. 点 — 怎么
    dím   zhám mò

15. 点解 — 为什么
dím gái wǎi sǎm mò

16. 点样 — 怎样
dím yěang zhǎm yěang

17. 咁 — 这么
gɔm jié mò

18. 好 — 很，非常
hóu hán fèi cæng

19. 好彩 — 幸亏
hóu cɔ́i hǎng kuài

20. 冚唪唥 — 全都
hɔm bang lang chǔn dòu

21. 唔 — 不
m̌ bàt

22. 唔好 — 莫、不要
m̌ hóu mɔ̌ bàt yiu

23. 唔使 — 不必
m̌ sɑ́i bàt bit

24. 嘛嘛哋 — 还可以
mǎ mǎ déi wǎn hó yí

25. 啱啱 — 刚好
ngàm ngàm gɔ̀ŋ hóu

26. 撞彩 — 碰运气
zǒng cɔ́i pong wǎn hei

27. 是但 — 随便
sǐ dǎn chǔi bín

28. 横掂 — 反正
wǎng dím fán zheŋ

29. 一齐 — 一起
yàt cɔ́i yàt héi

30. 仲 — 还
zhǒng wǎn

31. 仲未 — 还没
zhǒng měi wǎn mǔt

(四)感叹词

32. 闭了 — 糟糕
bǎi lɔ zhòu goù

(五)连词

33. 系 — 是
hǎi sǐ

34. 但系 — 但是
dǎn hǎi dǎn sǐ

35. 定系 — 还是
děŋ hǎi wǎn sǐ

36. 同 — 和
tǒng wǒ

37. 同埋 — 随同
tǒng mǎi chuǐ tǒng

38. 又 — 也
yǎo yá

39. 至系 — 才是
zi hǎi cɔ̌i sǐ

(六)语气助词

40. 㗎 — 的，呀
ga dèk a

41. 吤喎 — 的呀
go wo dèk a

42. 啫 — 呢，呀
jiè nì a

43. 喇 — 了
la lɔ

44. 啦 — 吧
là ba

45. 啰 — 了
lo lɔ

46. 咩 — 嘛
mié　mǎ

47. 咩 — 吗、什么
mié　mà　sǎ mò

48. 嚿 — 吧
bo　ba

49. 添 — 吧，呢
tìm　ba　nì

50. 咗 — 了
zhó　líu

(七) 形容词

51. 巴闭 — 夸张
bà bʌi　kuà zhʌ̀ng

52. 标青 — 出色
bìu cèŋ　chùt sèk

53. 似 — 像
cí　zhʌ̌ng

54. 嫡 — 娇
dié　giù

55. 得意 — 有趣
dʌ̀ yi　yáo chü

56. 化学 — 质量差
fa hɔ̌　zʌ̀t lʌ̌ŋ cà

57. 架势 — 气派
ga sʌi　hei pai

58. 颈渴 — 口渴
giéŋ hʌt　háo hʌt

59. 焗 — 闷热
gɔ̌u　mʌn yǐt

60. 孤寒 — 吝啬
gù hʌ̌n　lʌ̌ŋ sèk

61. 惯 — 累
guǐ　luǐ

62. 咸湿 — 下流
hʌ̌m sʌ̌p　há lǎo

63. 悭 — 节省
hàn　zit sáng

64. 后生 — 年轻
hǎo sàng　nǐn hièŋ

65. 庆 — 热
heŋ　yǐt

66. 好声 — 小心
hou sèŋ　shíu sʌ̀m

67. 好心机 — 耐心
hóu sʌ̀m gèi　nɔ̌i sʌ̀m

68. 痕 — 痒
hʌ̌n　yʌ̌ng

69. 襟 — 耐
kʌ̀m　nɔ̌i

70. 勤力 — 勤劳
kʌn lʌ̌k　kʌ̌n lɔ̌u

71. 烂 — 坏 〈指物〉
lʌ̌n　wʌ̌i

72. 捞搞 — 凌乱
láu gáu　lʌ̌ŋ lǔn

73. 邋遢 — 肮脏
lʌ̌ tɑʌ　óŋ zhɔ̀ŋ

74. 灵醒 — 灵利
lʌ̌ŋ sʌ̌ŋ　lʌ̌ŋ lʌ̌i

75. 靓 — 漂亮
lieŋ　pìu lʌ̌ŋ

76. 叻 — 能干
lièt　nʌ̌ŋ gɔn

77. 伦尽 — 冒失
lʌ̌n zhǔn　mou sʌ̀t

78. 炀 — 烫
nɑʌ　tɔŋ

79. 焓 一 糊
nòng   wǔ

80. 耐一久
nǒi   gáo

81. 淰 一 软,烂
nǎm   yún   lǎn

82. 牙 擦 一 傲 慢
ngǎ caʌ   au mǎn

83. 眼 瞓 一 瞓
ngán fʌn   kuʌn

84. 硬 颈 一 固 执
ngáng gién   gu zhʌ̀p

85. 吟 潯 一 啰嗦
ngǎm zhǎm   lò sò

86. 奀 细 一 瘦 小
ngàn sʌi   shao shiú

87. 恶 一 凶
ɔ   hòng

88. 平 一 便 宜
piěŋ   bǐn yǐ

89. 衰 一 坏 〈指人〉
shuì   wǎi

90. 衰气 一 倒霉
shuì hei   dóu muǐ

91. 细一小
sʌi   shíu

92. 犀利一厉害
sʌi lěi   lěi hǐi

93. 污糟 一 肮脏
wù zhòu   ɔ̀ŋ zhʌ̀ŋ

94. 稳 阵一稳 当
wán zhʌn   wán dɔŋ

95. 热气 一 上 火
yìt hei   shʌáng fó

96. 阴 湿 一 狡 猾
yʌm sʌ̀p   gáu wǎʌ

97. 精 一 聪 明
zhèŋ   còng měŋ

(八) 动词

98. 拗颈 一 犟
au gién   gʌáng

99. 嗌人 一 叫人
ai yǎn   giu yǎn

100. 呕一吐
áo   tou

101. 拜 山一扫墓
bai sàn   shou mǔ

102. 畀一给
béi   kʌ̀p

103. 畀面 一 赏脸
béi mín   shʌáng lǐn

104. 迫 人一拥 挤
bèk yǎn   yóng zʌi

105. 煲 一 煮,煨
bòu   jǔ,   wuì

106. 车大炮 一 吹牛
ciè dǎ pau   chuì ngǎo

107. 冲凉 一 洗澡
còng lʌ̆ng   sʌi zhǒu

108. 嗌交 一 吵架
ai gàu   cǒu ga

109. 打波 一 打球
dǎ bò   dá kǎo

110. 担水 一 挑水
dàm shuí   tiù shuí

111. 唞下 一 休息
táo há   yào sèk

112. 唞 凉 — 乘 凉
tɐo lɐǎng   sɐŋ lɐǎng

113. 电 发 — 烫 发
dǐn faʌ   tɔŋ faʌ

114. 冇 面 — 丢脸
móu mín   diù lǐn

115. 督 穿 — 戳 穿
dɐù chùn   chɔ chùn

116. 放 哩 — 搁在
fɔŋ hʌí   gɔ zhɔi

117. 对唔住 — 对不起
diu m̌ jǔ   diu bʌt héi

118. 抵死 — 该死
dʌí sí   gài sí

119. 翻 风 — 起风
fàn fòng   héi fòng

120. 翻学 — 上学
fàn hǒ   shɐáng hǒ

121. 翻哩 — 回来
fàn léi   wuì lɔí

122. 飞发 — 理发
fèi faʌ   léi faʌ

123. 火烛 — 失火
fó zhɔù   sʌt fó

124. 瞓觉 — 睡觉
fʌn gau   shuǐ gau

125. 拣 — 挑选
gǎm   tiù shǔn

126. 搞唔惦 — 弄不好
gaú m̌ dǐ   lòng bʌt hóu

127. 激气 — 呕气
gèk hei   ào hei

128. 激死人 — 气死人
gèk sí yʌň   hei sí yʌň

129. 拱 入 — 钻进
gong yʌǎp   jǔn zhun

130. 赶唔切 — 来不及
gán m̌ cìt   lɔ̌i bʌt kʌp

131. 估 — 猜
gú   cài

132. 滚搞晒 — 打扰了
guʌn gáu sai   dá nɐu liú

133. 撳住 — 按着
gǎm jǔ   ɔn zhɔ

134. 虾人 — 欺负人
hà yʌň   hèi fù yʌň

135. 行街 — 逛街
hǎng gài   guɔŋ gài

136. 行 埋嚟 — 走过来
hǎng mǎi lɐ̌i   zhǎo guo lɔ̌i

137. 行路 — 步 行
hǎng lǔ   bǔ hǎng

138. 行 运 — 走 运
hang wʌň   zhǎo wʌň

139. 着衫 — 穿衣
jüe sàm   chǔn yǐ

140. 企紧 — 站 稳
kéi gán   zhǎm wʌň

141. 倾计 — 聊天
kèŋ gʌí   liǔ tìn

142. 冚 — 盖
kʌ́m   gɔi

143. 揦 — 取
ló   chú

144. 落 — 下
lɔ̌   hɐ̌

145. 落雨 — 下雨
　　　lò yú　　hǎ yú

146. 搂 — 抱
　　　lǒm　póu

147. 嘟口 — 漱口
　　　lóŋ hao　shu háo

148. 撇咗 — 脱了
　　　làt zhó　tüt liú

149. 唔得 — 不 行
　　　m̌ dà　bàt hǎng

150. 唔得惦 — 吃不消
　　　m̌ dà dǐm　hàt bàt shiù

151. 唔觉意 — 不留神
　　　m̌ gɔ yi　bàt lǎo sǎn

152. 唔该 — 对不起
　　　m̌ gɔi　dui bàt héi

　　 — 请，谢谢
　　　　 céŋ　jǐe jǐe

153. 唔志在 — 不在乎
　　　m̌ zi zhǎi　bàt zhǐi fù

154. 唔制 — 不干
　　　m̌ zʌi　bàt gɔn

155. 卖晒 — 卖完
　　　mǎi sai　mǎi yǔn

156. 猛 出 — 拔出
　　　màng chùt　bàt chùt

157. 蹓 — 蹲
　　　mào　zhùn

158. 蹓 监 — 坐牢
　　　mào gàm　chó lǒu

159. 收 声 — 闭口
　　　shào sèŋ　bǎi háo

160. 觇 — 背
　　　miè　bui

161. 揽 开 — 剥开
　　　mìt hòi　mɔ hòi

162. 冇 — 没 有
　　　móu　mǔt yáo

163. 唔得闲 — 没 空
　　　m̌ dà hàn　mǔt hòng

164. 炆 — 红 烧
　　　màn　hǒng shiù

165. 发嬲 — 怒、生气
　　　faʌ nào　nǔ sàng hei

166. 扭 计 — 扯皮
　　　náo gʌi　cié pǐ

167. 闹 人 — 骂人
　　　nǎo yʌn　mǎ yʌn

168. 拎 — 拿
　　　nèŋ　ná

169. 谂 — 想
　　　nám　shɘáng

170. 揾人 — 骗人
　　　ngá yʌn　pin yʌn

171. 瓮 紧 — 埋着
　　　òng gʌn　mǎizhɔ

172. 拍挡 — 合伙
　　　pʌ dɔŋ　hʌp fó

173. 拍拖 — 谈恋爱
　　　pʌ tò　tǎn lǔn ɔi

174. 耍 — 玩
　　　sá　wá

175. 闩门 — 关 门
　　　sàm mǔn　guàn mǔn

176. 食—吃
  sěk hȧt

177. 食烟—抽烟
  sěk yìn chào yìn

178. 蚀抵—亏了
  sǐt dʌi kuȧi liú

179. 探热—量体温
  tam yǐt ləǎng tʌi wȧn

180. 叹世界—享福
  tan sʌi gai həǎng fòu

181. 肚屙—拉肚子
  tóu ò là tóu zí

182. 托大脚—拍马屁
  tɔ dǎi güe pʌ má pi

183. 㓥鸡—杀鸡
  tɔ̌ŋ gȧi sɔʌ gȧi

184. 㾭细蚊—哄小孩
  tʌ́m sʌi màn hong shiú hȧi

185. 睇—看
  tʌ́i kɔn

186. 话—说
  wǎ shüt

187. 揾—找
  wán zhóu

188. 揾食—谋生
  wán sěk mǎo sàng

189. 游水—游泳
  yǎo shuí yǎo wén

190. 揶—惹
  yié yié

191. 郁—动
  yɔ̀u dǒng

192. 饮—喝
  yȧm hɔt

193. 入—进
  yʌ̆p zhun

194. 憎—恨
  zàng hȧn

195. 斩—砍
  zhám kám

196. 整—制做
  zhén zʌi zhou

197. 中意—喜欢
  zhòng yi héi fùn

198. 做工—干活
  zhou gong gɔn wǔt

199. 阻咗—耽误了
  zhóu zhó dàm ñ liú

200. 捉棋—下棋
  zhòu kěi hǎ kěi

201. 浸—淹
  zhʌ̌m yìm

202. 锡—接吻
  siet zip mǎn

203. 执到—捡到
  zhȧp dou gím dou

204. 执笠—卷铺盖
  zhȧp lȧp gún pu gɔi
  —破产
  po cán

(九) 名词

A. 数量

205. 丁咁多——点儿
  deŋ gɔ́m dò yȧt dím yǐ

206. 一啲 —— 一些
yàt dīt　yàt xìe

207. 一枸 —— 一块
yàt gǎo　yàt fai

208. 一成 —— 十分之一
yàt sěŋ　sǎp fǎn zǐ yàt

209. 一个字 —— 五分钟
yàt go zǐ　ń fǎn zhòng

210. 一毫纸 —— 一角
yàt hǒu zí　yàt gǝ

211. 一蚊鸡 —— 一元
yàt màn gài　yàt yǔn

212. 一世 —— 一辈子
yàt sʌi　yàt bui zí

213. 一阵间 —— 一会儿
yàt zhǎn gàn　yàt wuǐ yǐ

B. 时间

214. 晏 —— 晚，迟
an　mán cǐ

215. 晏昼 —— 中午
an zhao　zhòng ń

216. 第啲 —— 别的
dǎi dīt　bǐt dèk

217. 第日 —— 过些天
dǎi yàt　guo xiè tìn

218. 旧年 —— 去年
gǎo nín　hüei nín

219. 旧阵时 —— 过去
gao zhǎn sǐ　guo hüei

220. 吟阵 —— 那时
go zhǎn　ná sǐ

221. 今朝 —— 今天早晨
gàm jiù　gʌm tìn zhóu sʌn

222. 下昼 —— 下午
hǎ zhao　hǎ ń

223. 琴晚 —— 昨晚
kǎm mán　zhǒ mán

224. 琴日 —— 昨天
kǎm yàt　zhǒ tìn

225. 两日度 ——
lěáng yàt dóu
两天左右
lěǎng tin zhó yǎo

226. 晚黑 —— 夜晚
mán hà　yīe mán

227. 成十年 —— 快十年
sěŋ sǎp nín　fai sǎp nín

228. 成日 —— 整天
sěŋ yàt　zhǎng tìn

229. 上昼 —— 上午
shǝang zhuo　shǝang ń

230. 先头 —— 先前
sìn tǎo　sìŋ cǐn

231. 听朝 —— 明天早晨
tèŋ jiù　měŋ tìn zhou sʌn

232. 听晚 —— 明晚
tèŋ mán　měŋ mán

233. 天光 —— 天亮
tìn guǎŋ　tìn lěáng

234. 而加 —— 现在
yǐ gà　yīn zhǒi

235. 月光 —— 月亮
yǔt guàŋ　yǔt lěáng

236. 日头 —— 白天
yàt tǎo　bà tìn

C. 称谓

237. 阿叔 —— 叔叔
a shòu　shòu shòu

238. 伯爷公 —老大爷
　　　　bʌ yiè gòng　　lóu dǎ yiè

239. 伯爷婆 —老大娘
　　　　bʌ yiè pǒ　　lou dǎ nəǎng

240. 大佬 —大哥
　　　　dǎi lóu　　dǎi gò

241. 家姐 —姐姐
　　　　gà jiè　　jié jié

242. 烂仔 —流氓
　　　　lǎn zʌi　　lǎo mǒŋ

243. 老豆 —父亲
　　　　lóu dǎo　　fū cǎn

244. 老母 —母亲
　　　　lóu móu　　móu cǎn

245. 伢妳仔 —婴孩
　　　　ngǎ ngà zʌi　　yèŋ hǎi

246. 外父 —岳父
　　　　ngǒi fú　　ngǒ fú

247. 外母 —岳母
　　　　ngǒi móu　　ngǒ móu

248. 女 —女儿
　　　　nüéi　　nüéi yǐ

249. 心抱 —媳妇
　　　　sàm pǒu　　sèk fú

250. 细佬 —小弟
　　　　sʌi lóu　　shiú dǎi

251. 细蚊仔 —小孩子
　　　　sʌi màn zʌi　　shiú hǎi zí

252. 仔 —子、儿子
　　　　zʌi　　zí　　yǐ zí

D. 日用品

253. 擦 —刷子
　　　　cʌʌ　　cʌp zí

254. 大褛 —大衣
　　　　dǎi lào　　dǎi yì

255. 底衫 —内衣
　　　　dʌi sàm　　nǎi yì

256. 底裤 —内裤
　　　　dʌi fu　　nǎi fu

257. 番碱 —肥皂
　　　　fàn gán　　féi zhou

258. 菲林 —胶卷
　　　　fèi lǎm　　gàu gǔn

259. 火水 —煤油
　　　　fó shuí　　mǔi yǎo

260. 火船 —轮船
　　　　fó shǔn　　lǔn shǔn

261. 甲万 —保险箱
　　　　gap má　　bóu hím shəàng

262. 较剪 —剪刀
　　　　gau zíu　　zíu dòu

263. 滚水 —开水
　　　　guǎn shún　　hǒi shúi

264. 单车 —自行车
　　　　dàn ciè　　zǐ hǎng ciè

265. 隔篱 —隔壁
　　　　gʌ lěi　　gʌ bèk

266. 香碱 —香皂
　　　　həang gán　　həàng zhǒu

267. 企楼 —阳台
　　　　kěi láo　　yəàng tòi

268. 冷衫 —毛线衣
　　　　lǎng sàm　　mǒu sin yì

269. 笠衫 —汗衫
　　　　lʌp sàm　　hən sàm

270. 面盆 —脸盆
　　　　mǐn pǔn　　lǐn pǔn

271. 墨水笔 —钢笔
　　　　mǎ shuí bʌt　　gòŋ bʌt

272. 银纸—钞票
ngǎn zí càn piu

273. 屋企—家里
əù kéi gà léi

274. 散纸—零钱
sán zí lěŋ cǐn

275. 雪柜—冰箱
shü guʌ̌i bèŋ shəàng

276. 锁匙—钥匙
só sǐ üe sí

277. 缩骨遮—折伞
səu guʌ̀t jié zip jiè

278. 毡—毛毯
zìn mǒu tǎm

E. 动植物、饮食

279. 百足—蜈蚣
bʌ zhòu ň gòng

280. 嘎蚱—蟑螂
gǎn zhǎʌ zhəǎng lǒŋ

281. 鸡髀—鸡腿
gʌ̀i béi gʌ̀i tuí

282. 鸡公—公鸡
gʌ̀i gòng gòng gʌ̀i

283. 鸡乸—母鸡
gʌ̀i ná móu gʌ̀i

284. 鸡项—小母鸡
gʌ̀i hǒŋ shiú moú gʌ̀i

285. 鸡翼—鸡翅
gʌ̀i yěk gʌ̀i ci

286. 鸡仔—小鸡
gʌ̀i zʌ́i shiú gʌ̀i

287. 金针—黄花菜
gʌ̀m zhʌ̀m wɔ̀ŋ fà cɔi

288. 蛤蚧—小青蛙
gʌ̀p guá shiú cèŋ wà

289. 蛤乸—青蛙
gʌp ná cèŋ wà

290. 虾公—虾子
hà gòng hà zí

291. 香信—香菇
həàng sʌn həàng gù

292. 猪红—猪血
jǜ hǒng jǜ hüt

293. 猪脷—猪舌
jü lěi jü siět

294. 猪润—猪肝
jü yʌ́n jü gʌ̀n

295. 蛤渠—癞哈蟆
kǎm küěi lǎi hà mɔ

296. 蛤蝼—蜘蛛
kǎm lǒu zì jǜ

297. 萝白—萝卜
lǒ bǎ lǒ bòu

298. 马骝仔—猴子
má lào zʌ́i hǎo zí

299. 马螂狂—螳螂
má lɔ̌ŋ kɔ̌ŋ tɔ̌ŋ lɔ̌ŋ

300. 马蹄—荸荠
má tʌ̌i bèk cʌ̌i

301. 木虱—臭虫
mòu sʌ̀t cao cǒng

302. 矮瓜—茄子
ʌ́i guà kiě zí

303. 菩提子—葡萄
pǔ tʌ̌i zí pǔ tǒu

304. 沙葛—凉薯
sà gɔt ləǎng shǚ

305. 山猪—野猪
sàn jǜ jié jǜ

306. 生 果—水 果
sàng gúo　shuí gúo

307. 生 鱼—乌鱼，才鱼
sàng yǔ　wù yǔ　cəi yǔ

308. 薯仔 — 土豆
shǔ zái　tǔ dǎo

309. 四脚蛇 — 蜥蜴
si gǔe siě　sèk yǐ

310. 溏尾 — 蜻蜓
tɔ̌ŋ méi　cèŋ těŋ

311. 黄 犬 — 蚯蚓
wɔ̌ŋ hún　chào yʌ́n

312. 黄 牙 白—大 白 菜
wɔ̌ŋ ngǎ bǎ　dǎi bǎ cəi

313. 黄 鳝—鳝鱼
wɔ̌ŋ sin　sín yǔ

314. 葫头 — 芋 头
wǔ tǎo　yù tǎo

315. 乌 蝇 — 苍 蝇
wù yèŋ　còŋ yèŋ

316. 飞鼠 — 蝙蝠
fei shǔ　bín fòu

317. 盐 蛇 — 壁虎
yǐm siě　bèk fú

318. 水 鱼—鳖
shuí yǔ　bit

319. 蜓 织 — 蟋 蟀
zhòu zʌ̀t　sèk shui

四、常用字粤语读音分类

粤语和普通话中字的读音有较大差异，如"报"字，普通话读作 bào，粤语则读 bōu，但也并非无任何联系，如"买卖"普通话读作 mǎimài，粤语读作 máimǎi，二者只是声调不同，类似这样的例子还很多。多数普通话读音相同的字，粤语读音也相同，如"才材财裁"四个字普通话都读作 cái，粤语都读作 cǎi。当然，也有些普通话读音相同的字，粤语读音则不一样，如"江"和"将"，普通话都读 jiāng，粤语则分别读作 gòŋ 和 zhɔáng；也还有些普通话读音不同的字，粤语的读音却相同，如"九"（jiǔ）和"狗"（gǒu），粤语则都读作 gáo。对这些字学习时应特别注意。

1. a

阿	霸罢	把	爸	巴	茶查	叉差	打	化	花	价架假嫁	假
a	ba	bá	bǎ	bà	cǎ	cà	dá	fa	fà	ga	gá

佳家加	下夏厦	虾	卡	喇啦	马码	麻骂	妈	吗	拿	那
gà	hǎ	hà	kà	lǎ	là	má	mǎ	mà	ná

怕	扒爬	趴	耍洒	沙	他她它	哗瓦	话华	挖蛙洼	也
pa	pǎ	pà	sá	sà	tà	wa	wá	wǎ	wà	yá

炸诈榨	抓渣榨
zha	zhà

2. ai

拜	摆	败	踩柴	柴	猜差	带戴	歹大	快块	界介戒届
bai	bái	bǎi	cái	cǎi	cài	dai	dǎi	fai	gai

解 阶 街 皆　鞋 孩 械　赖　拉　买　卖 埋 迈　奶 乃　派　排 牌
gái gài　　hǎi　lǎi lài mái　mǎi　　nái　pai pǎi

晒 态 太 贷　坏 怀 歪　债 斋　怪 拐 乖
sai tai　　wǎi wài zhai zhài guai guái guài

3. am

惨 曾 蚕 缠 阐 残　参　担　胆　担　鉴 尴　减 柬　监
cám　　càm dam dám dàm gam　gám　gàm

喊 馅 咸 缄 憾　蓝 篮 栏 揽 览 滥　男 南　衫 闪 三　探
ham hám　hǎm　　lǎm　　nǎm　sàm　tàm

淡 谭 谈 痰　贪　湛　斩 站 暂
tám tǎm　tàm zham zhám zhǎm

4. an

晏 版 板 扮 办 班 斑 扳 灿 产 餐 诞 蛋 但 弹 单 丹
an bán bǎn bàn　can cán càn dan dán dǎn dàn

贩 反 饭 泛 凡 犯 返 烦 范 樊 繁 番 翻 碱 简 奸 艰 间
fan fán　饭 泛　　fàn　　gán　gàn

觅 限 闲 悭 懒 拦 烂 万 蛮 慢 漫 难 散 山 叹 坦
hǎn hàn lán lǎn　　màn　nǎn san sàn tan tán

弹 摊 玩 惋 顽 环 患 幻 湾 赞 盏 栈 赚 惯 关 冠
tǎn tàn wán　　wǎn　　wàn zhan zhán zhǎn guan guàn

扁
bián

5. ang

崩 凳 等 邓 灯 登 更 耿 耕 坑 肯
bàng dang dáng dǎng dàng gang gǎng gàng hang háng

行 幸 衡 恒 痕 狠　冷　猛 孟 莽 氓　能　朋 鹏 彭 栅
hàng　　　láng　mǎng　nǎng　pǎng

烹 省 生 藤 横　争 挣 增 赠 憎 曾　轰
pàng sáng sàng tǎng wǎng　　zhàng　　guàng

6. əang

唱畅倡　抢　长肠祥墙　枪昌娼窗　姜疆　向
cəang　cəang　cəang　　cəang　　gəang　həang

享响饷乡香　强　辆两俩　良量凉谅粮梁亮　娘
həang　　hæang kæang læang　　ləang　　ləang

相　想尚常　尚上　伤商相箱双　养仰
shəang　shəang　shəang　shəang　　yəang

羊样尝杨扬阳　央秧快　帐账仗涨杖　长掌奖蒋
　yəang　　yəang　　zhəang　　zhəang

丈象张章将浆
zhəang　zhəang

7. ao

臭丑　仇酬绸筹　抽秋　斗逗　堵斗纠　豆　兜　否
cao cáo　cǎo　　cào　dao　dáo　dǎo dào fáo

埠浮　究够救　九狗久　旧　沟　口　厚　候猴后喉
fáo　gao　gáo　gǎo gào hao háo　hǎo

寇扣构购　舅　求球　柳刘流楼留陋漏　亩某
kao　káo　kǎo　　lǎo　　máo

贸茂谋　纽扭　售秀搜瘦兽　首守手　授受寿愁
mǎo　náo　shao　sháo　shǎo

收修羞　透　头投　偷　幼　柚友有
shào　tao　tǎo　tào　yao　yáo

游油又尤由邮犹右首柔蹂　幽忧优休　昼奏
　　yǎo　　yào　　zhao

走酒　就宙袖　周洲舟　猫
zhǎo　zhǎo　zhào　miáo

8. ap aʌ ua

押鸭　刷插　答搭　达　甲夹　恰洽峡　纳　踏塔　眨
ap　chap　dap　dǎp gap gǎp　hǎp　nǎp　tap　zhap

杂集袭习疾闸泽择轧砸宅摘　八　案　伐法发罚
zhǎp　　　　　　　　　　　baʌ　caʌ　faʌ

辣　抹　杀萨撒　挖　滑猾　扎札　刮　掛卦　寡　瓜
lǎʌ　maʌ　saʌ　waʌ　wǎʌ　zhaʌ　guaʌ　gua　guá　guà

夸跨
kuà

9. au

傲拗　豹爆　饱　包　炒　抄　教较　搞稿　狡饺　交郊
au áu　bau　báu　bàu　cáu　càu　gau　gáu　　gàu

孝耗　考朽　校效　敲靠　捞矛　挠闹绕　炮泡　跑刨
hau háu　hǎu　hàu　kau　làu　mǎu　nǎu　pau　páu pǎu

抛找爪
pàu zháu

10. ei

秘臂　比被畀　备避鼻　肥　飞非　记寄纪既　已几纪
bei　béi　　běi　　　fèi　fèi　gei　　géi

技妓　机基饥肌　弃戏　汽气器　起岂喜　希欷　企
gěi　gèi　　　hei　　héi　　hèi　　kéi

祈奇期旗其　李理里礼　嚟利离厉励　美尾弥
kěi　　　　léi　　　　lěi　　　　méi

眉未味　屁　皮脾　呸
měi　pei　pěi　pèi

11. ek

迫　戚　敌　的滴　极　激击　力历　辟
bèk　cèk　dèk　dèk　gèk　gèk　lèk　pèk

色释息惜式饰识适析　域　翼译亦役易液弋
sèk　　　　　　　wěk　yèk

亿忆益抑　殖值直藉席夕　积迹绩职即寂
yèk　　　zhěk　　　　zhèk

12. eŋ ieŋ

柄 丙 并	冰 兵	称 请	晴 程 惩 呈 逞	清 青 称	顶
beŋ béŋ běŋ	bèŋ	ceŋ céŋ	cěŋ	cèŋ	déŋ

定 订	丁 钉	敬 竟	警 境 景	经 京 荆	庆 兴	倾	领
děŋ	dèŋ	geŋ	géŋ	gèŋ	heŋ	kèŋ	léŋ

零 令 灵 另 凌	明	宁	拎	聘 拼	平 屏 评 凭
léŋ	méŋ	něŋ	nèŋ	peŋ	pěŋ

圣 姓 性 剩 盛	醒	成 承 诚	星 升 声	停 庭 挺	冰 永
seŋ	séŋ	sěŋ	sèŋ	těŋ	wéŋ

颖 荣	应	影 映	营 迎 莹 认 仍 形 型 刑 盈
wěŋ	yeŋ	yéŋ	yěŋ

应 英 鹰 婴 莺	正 政 证	静 整	晴 精 征 蒸	饼	病
yèŋ	zheŋ	zhěŋ	zhèŋ	biéŋ	biěŋ

顶	镜	颈	轻	井	净	靓	命 名	平	听	厅	赢
diéŋ	gieŋ	giéŋ	hièŋ	jieŋ	jièŋ	lièŋ	miéŋ	pièŋ	tièŋ	yièŋ

13. i（yi）

意	拟 以 耳 已 议	易 仪 二 而 如 疑 义 移 儿 异	医 衣 依
yi	yǐ	yǐ	yì

次 厕 刺	似	此 耻 齿 兹	迟 词 持 驰 池 辞 慈 磁	痴	呢
ci	cí	cí	cǐ	ci	nì

四 试 拭 肆	市	史 死 屎 使	氏 是 示 事 视 士
si	sì	sí	sǐ

师 思 私 丝 尸 施 撕 诗 狮	志 智 致 至 治 置 质	址 纸 只 指 止 子
sì	zi	zí

自 字 寺	资 支 枝 芝 知 滋
zǐ	zì

14. ie iet

啤 扯 车 嫡 爹 借 蔗 姐 者 这 谢 伞 遮 骑 咩 觇 且
biè cié ciè dié diè jie　　 jié jiè jiè kiè miè qié

泻 舍 社 写 蛇 射 斜 些 野 夜 爷 耶 椰 爷 尺 蓆
sie sié siě xiè yié yiě yiè yiè ciet jiět

剧 叻 锡 射 石 舌 踢
kiět liět siet sièt tiet

15. im

谮 歼 店 点 典 剑 兼 欠 歉 险 谦 廉 镰 念 拈
cǐm cìm dim dím gim gìm him hím hìm lǐm nǐm nìm

闪 陕 垫 甜 添 厌 染 荧 严 盐 验 炎 谵 嫌 淹 阉
sím tím tǐm tìm yim yǐm yìm

佔 尖
zim zìm

16. in

变 贬 便 辨 辩 编 边 浅 践 前 钱 迁 千 电 甸 殿 颠
bin bín biàn bìn cín cǐn cìn dǐn dìn

见 建 件 健 坚 献 宪 显 遣 谴 牵 战 箭 舰 展 剪 贱
gin gǐn gìn hin hin hìn jin jín jǐn

煎 毡 免 勉 面 棉 绵 年 片 骗 遍 偏 篇 线 扇 鳝 善 擅
jìn mín mǐn nǐn pin pìn sin sín sìn

仙 先 鲜 田 填 天 艳 燕 宴 演 现 言 研 然 贤 烟
sìn tǐn tìn yin yín yǐn yìn

17. it ip

必 鳖 别 切 设 彻 跌 洁 结 杰 揭 烈 猎 灭 蔑 泄 铁 乙
bit bǐt cit dit git gǐt kit lǐt mǐt sit tit yit

热 节 折 淅 哲 捷 妾 撤 赤 碟 蝶 叠 秩 迭 涩 劫
yìt zit cip dǐp gip

怯 协 涉 页 叶 业 接
hip sip yǐp zip

18. iu

表 娌　标 表　朝 潮　超 钊 锹　调 吊 掉 丢 叫 缴 娇 骄 会
biú biù　ciú　ciù　　diu　diù giu giú giù hiú

翼 照 赵　朝 招 召 蕉 浇 椒　桥 侨 乔 巧　料 了 辽
hiù jiu jiù　朝 招 召 蕉 jiù　　kiú　liú liù

秒 苗 妙 谬　庙 瞄　鸟 票 嫖 漂　笑 少　少 小
miú　　miù miù niú piu più più shiu　shiú

绍 韶 肇 兆　肖 消 销 烧　跳 条 挑 要 扰　耀 摇 遥 姚
shiù　　shiù　tiu tiù tiù yiu yiú　yiù

腰 邀 妖
yiù

19. m n ŋ

唔　五 午 吴 误 悟 梧　熊　掻
m̀　ń　　ň　ŋóng ŋàu

20. ng

亚　牙 雅 涯　鸦 癌　啱　眼　颜　硬　藕 偶
nga　ngǎ　ngà ngǎm ngàm ngán ngǎn ngǎng ngáo

牛　欧 钩 讴　咬　压　银　夭 蚁　艺 危 魏 毅 伪
ngǎo　ngào　ngáu ngʌ̀ ngǎn ngàn ngái　ngǎi

我　饿 鹅 俄　乐 鄂 岳 额　外 碍
ngó　ngǒ　ngǒ　ngòi

21. o

哦 播 玻 波 坡　错 坐 锄　初 搓　朵 躲　多 货 课　火 伙 科
o bo　bò　co có cǒ　cò　dó dò　fo fó fò

个 歌 哥　可 河 何 呵 啰 捋 箩 逻　模 磨 魔 摸 摩 糯 破
go gò hó hǒ hò lo lò lǒ　mǒ　mò nò po

颇 婆 棵　锁 所 傻 梳 蔬 妥 驼 砣 拖 祸 和 禾 贺 窝
pó pǒ pò só sǒ sò tó tǒ tò wó　wǒ　wò

左 助 座 过 果
zhó zhǒ guo gó

22. ong

瓮翁 捧 重 重从丛虫崇松 聪冲充匆囱 冻
òng bóng cóng cǒng còng dong

董懂 动洞 冬东 奉凤讽 冯逢缝
dóng dǒng dòng fong fóng

风丰封疯峰蜂锋 公贡 共 供弓工恭宫功 控
fòng gong gǒng gòng hong

孔巩恐 红鸿虹洪雄 空凶 穷 弄 龙隆聋
hóng hǒng hòng kǒng lóng lǒng

盟梦蒙 浓农 炆 碰 棚蓬 送宋 松 痛 统桶
mǒng nǒng nòng pong pǒng song sòng tong tóng

童同铜 通 勇拥 容庸用溶绒融榕 众种粽中
tǒng tòng yóng yǒng zhong

种总重仲颂 中终钟忠宗衷
zhóng zhǒng zhòng

23. ou

澳奥 报暴 保宝补 捕步部薄 煲 措醋 草 曹吵
ou bou bóu bǒu bòu cou cóu cǒu

粗操 到道 倒岛赌睹 度导 都 糕高 好 好
còu dou dóu dǒu dòu gòu hou hóu

号毫豪 路炉鲁卢露 舞武有 毛无帽冒 巫
hǒu lòu móu mǒu mòu

努奴怒 抱普 铺 菩 数 扫诉素 嫂 苏馊酥 吐兔
nǒu póu pòu pǒu shou shóu shòu tou

讨肚 土途图桃徒逃陶 滔涛 造噪 早祖组枣阻
tóu tǒu tòu zhou zhóu

澡 租糟遭
zhǒu zhòu

24. ... ...

恶 驳 博 薄 戳 夺 霍 各 角 觉 捆 壳 学 鹤 确 乐 落
ɔ　bɔ̀　bɔ̄　chɔ　dɔ̀　fɔ　　gɔ̄　　hɔ　hɔ̀　kɔ　lɔ̀

剥 幕 莫 寞 漠 扑 仆 索 朔 托 拓 锅 获 作 抓 国 盒
cm　mɔ̄　　pɔ　　shɔ　　tɔ　wɔ̀　zhɔ　guɔ hɔ̄p

割 渴 喝
gɔt hɔt

25. ɔi

爱 凯 哀 埃 挨 菜 赛 彩 才 材 财 裁 代 袋 待 呆 盖
ɔi ɔ́i　ɔ̀i　　cɔi cɔ́i　　cɔ̌i　　dɔ́i dɔ̀i　lɔ́i

改 该 海 害 开 概 耐 内 奈 抬 台 胎 再 塞 载 在 搞
gɔ́i gɔi hɔ́i hɔ̌i hɔ̀i kɔi　　nɔ̌i　　tɔ́i tɔ̄i　zhɔi　　zhɔ̌i

灾 裁 哉
zhɔ̄i

26. ɔm ɔn

暗 感 敢 咁 橄 甘 柑 合 搂 岸 按 安 鞍 干 赶 杆 干
ɔm　gɔm gɔ̌m　hɔ̌m lɔ́m　ɔn　　ɔ̀n　gɔn gɔ́n　gɔ̀n

汉 旱 汗 寒 韩 函 焊 看 刊
hɔn hɔ́n　hɔ̌n　　hɔn kɔn kɔ̀n

27. ɔu

屋 计 卜 束 速 畜 蓄 触 促 独 毒 读 督 伏 服 幅 福 复
ɔ̀u bɔ̀u　　chɔ̀u　　dɔ̌u dɔ̀u fɔ̌u　　fɔ̀u

局 谷 菊 哭 曲 六 陆 录 绿 鹿 木 睦 目 穆 熟 属 俗
gɔ̌u gɔ̀u hɔ̀u kɔ̀u　lɔ̌u　　mɔ̄u　　shɔ̌u

叔 宿 粟 肃 缩 述 浴 裕 肉 玉 育 狱 辱 郁 族 续 逐
shɔ̀u　　　　　yɔ̌u　　　　yɔ̀u　zhɔ̌u

筑 粥 足 捉 竹 祝
zhɔ̀u

28. ɔŋ

肮 绑 榜 镑 邦 帮 创 厂 敞 床 藏 闯 仓 疮 苍 当 荡
ɔŋ bɔ́ŋ bɔ̌ŋ bɔ̀ŋ　cɔŋ cɔ́ŋ　　cɔ̌ŋ　　cɔ̀ŋ　dɔŋ

挡档党当　放况　访仿纺　防房　方芳　慌　降钢讲　港
dóŋ　　　 foŋ　　fóŋ　　 fôŋ　 foŋ　　　　 goŋ　 góŋ

江刚纲　项　卷　杭　行　降　康糠　抗　网　望亡忘　芒
gòŋ　 hoŋ hóŋ hǒŋ　 hòŋ　 koŋ　　 móŋ　 mǒŋ　 mòŋ

曩狼浪郎朗晾　傍宠　丧爽　霜桑　趟烫淌　糖堂塘
nǒŋ　　　　　nǒŋ　 soŋ sóŋ sòŋ　 toŋ　　 tóŋ

汤　柱　往王黄皇宏弘　汪　壮状葬　撞　装庄　逛
tòŋ wóŋ　 wǒŋ　　　　 wòŋ　 zhoŋ　 zhǒŋ zhòŋ guoŋ

广光　扩旷　狂框
guóŋ guǒŋ kuoŋ kuǒŋ kuòŋ

29. u　ut

赴富副库裤妇附　苦府虎斧　父付负腐辅芙
fu　　　　　　 fú　　　 fǔ

夫呼俘扶　雇顾故固　估古股鼓　姑孤　户
fù　　　　 gu　　　 gú　　　 gù　 wú

护湖胡互狐　乌污泼　出　阔　括　律率　末没　术
wǔ　　　　 wù but chùt fut kut lǔt　 mǔt　 shǔt

活
wǔt

30. ui

背贝辈　杯　脆翠　垂锤随叙　吹催炊　趋兑对　队堆
bui　 buì cui　 cuí　　　 cui　　 dui duǐ dui

灰恢悔　偻　类泪　雷　虑累　枚每　玫梅煤媒霉妹　妹
fui　　 luí lǔ　　　　 muí　 muǐ　　　　　 mui

配佩　倍　培赔陪　胚　税岁绪墅碎帅率　水
pui　 puí pui　　 pui　 shui　　　　　 shuí

瑞睡谁　虽衰须　退腿推　会回汇　乳　最醉屿序
shuǐ　 shuì　 tui tuǐ tui wuǐ　 yuí zhui

嘴罪坠聚追
zhuí zhuǐ zhuì

31. un

半 本 搬 般 蠢　旬 询 循 纯　春　顿 敦　款 宽 欢
bun bún bùn chún　　chǔn　　chùn dǔn dùn　fún fùn

贯 冠 缸 灌 管 馆 莞 官 观 棺 论 仓 伦 轮 邻 闷 满 瞒
　gun　　gún　　gùn　　lǔn　　mun mún

们 门 判 叛 畔 盆 盘 潘 顺 迅 讯 慎 逊 醇 碗
mǔn　pun pún pǔn pùn　shun　shǔn wún

换 焕 援 缓 原 愿 源 进 尽 俊 准 遵 尊 津
　wǔn　　yǔn　zhun zhún zhùn

32. ü ⟨yu⟩

裕 雨 语 与 予 宇 羽 喻　愉 逾 余 鱼 遇 娱 愚 誉 预 豫
　ü ⟨yu⟩　　　ǔ ⟨yǔ⟩

于　处 趣 蛆　着 著 注　主 煮　住 着 猪 朱 珠 诸
ù ⟨yù⟩　chü chǔ　jü　jü jǔ　jü

取 娶 除 厨 恕 庶 署 鼠 殊 树 薯 竖 书 需 舒 输 抒
　qǔ qǔ shü shú　shǔ　shǔ

33. ü ⟨yun⟩

怨 丸 院 园 缘 员 元 延 沿 冤 寸 串 全 存 传 川 穿 村
ün ǔn　ǔn　ùn chún　chǔn　chùn

短 锻 段 端 卷 捐 娟 劝 犬 圈 转 砖 专 权 拳 乾
dún dǔn dùn gǔn gùn hün hún hùn jün jǔn　kǔn

恋 联 莲 乱 嫩 暖 算 选 损 癣 旋 船 孙 酸 宣 断 团
lún　lǔn　nún shün　shǔn　shǔn　shùn　tún tǔn

远 软
　yǔn

34. üe üei üt

约 跃 若 药 诺 弱 虐 脚 雀 着 却 略 削
üe　ǔe　güe jüe küe lǔe shüe

锯 据 句 举 具 巨 居 车 去 许 虚 拒 佢 距
güei　güéi güei　güèi hüei hüéi hüèi　küéi

驱俱区吕旅 女 血 穴拙绝 决缺竭岁 说薛雪
küèi　　lüéi　nüéi　hüt　jüt　jǔt　küt　lüt　shüt

脱月粤越日阅悦
tüt　　　　yǔt

35. ∧ ∧t ∧p

握百伯白北拆策测贼特得德草格隔客吓
à　bʌ　bǎ　bà　cʌ　cǎ　dǎ　dà　gʌ　hʌ

黑克刻墨默脉麦拍泊划画或斡窄斥责则
hà　　mǎ　　pʌ　　wǎ　　zʌ　zà

跋不笔毕七柒佛吉桔核瞎乞吃咳撷
bǎt　bàt　càt　fǎt　gàt　hǎt　hàt　kʌt　làt

密蜜物勿乜四实失室虱屈逸日壹姪
mǎt　　màt　pàt　sǎt　sàt　　wǎt　yǎt　yàt　zǎt

辛质骨辑缉跌急洽给及立笠粒十什
zàt　guàt　càp　dǎp　gàp　hǎp　kàp　lǎp　lʌp　nàp　sǎp

湿入执
sàp　yǎp　zhàp

36. ∧i

矮闭币弊毙跛齐妻凄帝缔抵底弟递隶低
ʌí　bǎi　bài　cǎi　cài　dài　dái　dǎi　dài

肺吠费废辉挥徽计继鸡喺系启礼例励黎
fài　　fʌi　gʌi　gài　hài　hǎi　kʌi　lʌi　lǎi

咪米谜迷尼泥批誓世势细逝洗使西替剃
mʌi　mǎi　nǎi　pài　sʌi　　sʌi　sài　tʌi

睇体啼蹄题提堤梯喂畏委尉萎伟
tʌi　　tài　　tʌi　wʌi　　wʌi　wʌi

为卫谓慰违惠慧唯位维微毁猬威
　　wʌi　　　　　　　　　wʌi

制济际挤祭贵桂季瑰鬼轨傀跪柜归龟
zʌi　　　guʌi　　guʌi　guʌi　guʌi

愧携葵奎逵亏规窥
　　　kuǎi　　　　kuài

37. ∧m

渗寻沉巡　侵　禁　锦　襟　今金　凸　琴禽襟
cʌm cǎm càm gʌm　gám　gǎm　gàm　kám kǎm kàm

林淋临　谂　沈审婶　甚　深心森参　引　任淫
lǎm　nám　sǎm　sǎm　sàm　yám　yǎm

音阴荫钦　浸　怎　针
yàm　zhʌm zhám zhàm

38. ∧n

品笨　奔宾滨殡斌彬　趁　诊　陈秦尘臣　亲　吨
bán bǎn　　bàn　cʌn cán　cǎn　càn dàn

眮训奋愤粪　粉　份　分　谨仅紧　近　筋跟根斤痕
fʌn　fán fǎn fàn　gán　gǎn　gàn　hǎn

近　勤恳垦芹　问民文闻敏　蚊炆　喷　贫濒
kán　kǎn　mǎn　màn　pʌn　pǎn

慎肾神晨　伸申新辛　吞　印　隐瘾忍润仁人
sʌn sán sǎn　sàn　tàn yʌn yán yǎn　yǎn

因姻恩殷欣　揾稳允　云晕魂运　温瘟
yàn　wán　wǎn　wàn

晋振震镇圳阵　真珍　棍　滚　军均钧君　困
zhʌn　zhàn guʌn guán　guàn　kuʌn

菌捆　群　坤昆
kuán kuǎn kuàn

五、部分字的两种读音

被打　棉被	边度　入边	表示　手表
béi dá　mìn péi	bìn dòu　yʌp bìn	biú sī　sháo biù
参加　人参	餐馆　晚餐	长江　生长
càm gà　yǎn sàm	càn gún　mán càn	cæŋ gɔŋ　sàŋ zhəáng
称嘢　称呼	松树　轻松	出差　相差
ceŋ yié　cèŋ fù	chǒng shǔ　hèŋ shòng	chùt cài　shəàng cà
车票　车马	朝鲜　朝阳	重复　重要
ciè piu　güèi má	ciǔ sìn　jiù yəáng	cǒŋ fòu　zhǒng yiu
轻重	曾经　姓曾	藏书　西藏
hèŋ cóng	cǎm gèŋ　seŋ zàng	cɔ̌ŋ shū　sài zhɔ̌ŋ
担水　挑担	多谢　凋谢	当心　当铺
dàm shúi　tiù dam	dò jiě　diù siet	dòŋ sàm　dɔŋ pu
分开　过分	假期　假货	更加　打更
fàn hòi　guo fǎn	ga kěi　gá fo	gang gà　dá gàng
觉悟　睏觉	干部　晒干	降低　投降
go ň　fʌn gau	gɔn bǒu　sai gɔn	gɔŋ dài　tǎo hɔŋ
冠军　鸡冠	近来　走近	行路　银行
gun guàn　gài guàn	gǎn lǒi　zháo kʌn	hǎng lǔ　ngǎn hɔ̌ŋ
好靓　爱好	着重　着衫	传学　宣传
hóu lieŋ　oi hou	jü zhòng　jüe sàm	jǔn hɔ̌　shùn chún
了解　到了	妹仔　姐妹	平常　平嘢
liú gái　dou lɔ	muì zái　jié muī	pěŋ cæŋ　piěŋ yié
散纸　分散	乘法　乘机	少年　多少
sán zí　fʌn san	sɛn fʌ　chun gèi	shiu nǐn　dò shiú
使用　大使	弹琴　子弹	调停　调动
sái yòng　dǎi sí	tǎn kʌm　zí dǎn	tīu tèŋ　diu dǒng

划 船	计 划	会 见	会 讲	应 该	应 用
wà shǔn	gʌi wʌ	wuǐ gin	hiú góŋ	yèŋ gòi	yeŋ yǒng

要 求	不 要	容 易	贸 易	将 来	大 将
yiù kǎo	bʌt yiu	yǒng yǐ	mǎo yěk	zhəàng lɔi	dǎi zhəang

正 确	正 月	种 树	树 种	中 央	击 中
zheŋ kɔ	zhèŋ yǔt	zhong shǔ	shǔ zhóng	zhòng yəàng	gèk zhong

摘 要	摘 棉 花	只 有	一 只
zhɔ̌i yiu	zhǎp mǐn fà	zí yáo	yʌ̀t ziet

附录 各单元复习测试题答案

第一单元

一、1. B　2. A　3. B　4. A　5. B
　　6. B　7. A　8. B　9. A　10. A

二、1. 欢迎　2. 美国　3. 啤酒　4. 书包
　　5. 介绍　6. 同学　7. 衫裤　8. 香港
　　9. 公司　10. 厕所　11. 朋友　12. 主任
　　13. 医生　14. 经理　15. 新闻

三、1. 我们　2. 什么　3. 才是　4. 买东西
　　5. 这位　6. 还是　7. 隔壁　8. 没空
　　9. 里面　10. 全部　11. 现在　12. 找人
　　13. 休息下　14. 很累　15. 喜欢　16. 他们
　　17. 看打球　18. 不必　19. 那些　20. 不怎么好

四、1. 食嘢　2. 食烟　3. 生果　4. 唔错
　　5. 对唔住　6. 游水　7. 有冇　8. 衫裤
　　9. 饮茶　10. 我同佢　11. 行路　12. 仔
　　13. 我阿叔嘅　14. 捉棋　15. 唔得　16. 墨水笔
　　17. 又系　18. 冲凉　19. 落雨　20. 好谂

五、1. 你们那位同学姓什么，叫什么名字？
　　2. 你们是不是从一个单位来的？
　　3. 隔壁那位先生是广州来的王经理。
　　4. 这位小姐的外语讲得不错。
　　5. 你喜欢喝什么？喝不喝啤酒？
　　6. 那些外国人全都是美国人。

7. 她现没空，要洗衣裳。

8. 我很累，想找个地方休息一下。

9. 我不怎么会游泳。

10. 我儿子喜欢下棋，但下得不怎么好。

六、答案略

第二单元

一、1. 参加　2. 重庆　3. 借书　4. 车票　5. 考试

6. 球赛　7. 实习　8. 黑色　9. 油盐　10. 河水

二、1. D　　2. S　　3. S　　4. S　　5. D

6. D　　7. D　　8. D　　9. S　　10. S

三、1. 美丽　　　2. 想　　　3. 完了　　　4. 在

5. 了　　　6. 走廊　　7. 谁、哪个　8. 多久

9. 聊天　　10. 捡到　　11. 还有　　12. 那里

13. 老太婆　14. 青蛙　　15. 猴子　　16. 两天左右

17. 中午　　18. 那时　　19. 这样　　20. 一点十分

四、1. 一齐　　　2. 两蚊　　　3. 企紧　　　4. 猪嫲

5. 琴日　　　6. 下昼　　　7. 面盆　　　8. 闭了

9. 话　　　10. 出世　　11. 伯爷公　12. 快啲

13. 第二日　14. 还书　　15. 锁匙　　16. 冇乜嘢

17. 仲未　　18. 听朝　　19. 五毫纸　20. 多谢晒

五、1. 坐在你隔壁那个小孩是谁的儿子？

2. 这辆车买了快十年还很新。

3. 谁捡到我的自行车钥匙？

4. 你们在这里谈些什么呀？

5. 你回来的时候他们还在打球吗？

6. 他不但会讲英语，还会讲日语呢。

7. 他说他还没见过山林里的猴子呢。

六、1. 琴晚嘅足球赛你睇咗冇？

2. 边度有饭食？我仲未食饭呢。

3. 有两位伯爷公喺隔篱捉棋。

4. 呢啲衫裤系我家姐喺广州时买嘅。

5. 琴日我上街买嘢用咗好几十蚊。

6. 从呢度坐火车到吖度要几耐？

7. 佢话佢仲未到过香港。

8. 我系旧年正开始学粤语嘅，仲未到一年。

七、答案略

第三单元

一、1. 腊鸭　2. 广告　3. 信任　4. 辣椒　5. 质量

　　6. 准备　7. 电话　8. 运动　9. 保证　10. 解决

二、1. D　2. S　3. D　4. D　5. S

　　6. S　7. S　8. S　9. S或D　10. S

三、1. 幸亏　　2. 气派　　3. 随同　　4. 随时

　　5. 耐穿　　6. 狡猾　　7. 吹牛　　8. 这样

　　9. 冒失　10. 反正　11. 肯定　12. 合伙

　　13. 骗人　14. 值得　15. 理发　16. 耽误了

　　17. 刚刚　18. 闷热　19. 一会儿　20. 还可以

四、1. 平　　2. 抵死　　3. 落车　　4. 滚水

　　5. 颈渴　6. 银纸　7. 激气　8. 翻风

　　9. 拣　10. 捞翻　11. 勤力　12. 唔得

　　13. 烂咗　14. 污糟（邋遢）15. 叻　16. 好似

　　17. 畀我　18. 拎紧　19. 乌蝇　20. 迫人

五、1. 吃饭、走路、睡着不要看书。

2．这些水烧了这么久怎么还不开呢？

3．我刚见到她拿着个篮子出去买东西。

4．请把那双鞋给我试穿一下合不合适？

5．这件衣服比我穿着的这件便宜十多元。

6．这些东西质量太差了，你肯定是被人骗了。

7．我看他这个人好像很聪明，怎想到他是个傻子来的。

8．叫他们和我们一起乘车去好了。

六、1．呢件衫太细咗啰，唔喊佢点着啫？

2．入边太焗，出嚟坐下啦。

3．你是但几时嚟都得，横惦我哋屋企有乜事。

4．李明啱啱畀佢打咗个电话。

5．呢度使水好唔方便，你哋实要谂办法尽快解决。

6．打呢度到你哋吖度坐火车好定系坐船好？

7．佢话佢吖仔咁叻，我睇佢实系车大砲嘅。

七、答案略

综合复习测试题答案

一、1．A 　2．C 　3．B 　4．A 　　5．A

　　6．C 　7．B 　8．C 　9．B 　　10．A

二、 1．交 　　2．屿 　　3．活 　　4．艺 　　5．满

　　6．也 　　7．因 　　8．搬 　　9．啤 　　10．饱

　　11．酒 　12．江 　13．今 　14．尺 　15．季

　　16．惯 　17．激 　18．醒 　19．事 　20．拾

三、1．还〈仲〉 　2．哪〈边〉 　3．取〈揦〉 　4．的〈嘅〉 　5．是〈系〉

　　6．下〈落〉 　7．捡〈执〉 　8．选〈拣〉 　9．省〈悭〉 　10．盖〈冚〉

　　11．睡〈瞓〉 12．完〈晒〉 13．在〈喺〉 14．说〈话〉 15．站〈企〉

　　16．耐〈褦〉 17．挤〈迫〉 18．给〈畀〉 19．热〈庆〉 20．些〈啲〉

21.累〈愤〉 22.来〈嚟〉 23.那〈吓〉 24.这〈呢〉 25.行〈叻〉
26.想〈谂〉 27.看〈睇〉 28.久〈耐〉 29.了〈咗〉 30.像〈似〉

四、1．A　　2．C　　3．A　　4．B　　5．A
　　6．B　　7．C　　8．A　　9．C　　10．C

五、答案略

图书在版编目（CIP）数据

粤语会话一月通/张炳昆著. —3 版. —广州：广东
世界图书出版公司，2000.7
ISBN 7－5062－3058－5

Ⅰ.粤… Ⅱ.张… Ⅲ.粤语-口语 Ⅳ.H178

中国版本图书馆 CIP 数据核字（2000）第 37902 号

粤语会话一月通

张炳昆 著

广东世界图书出版公司出版发行
广州市新港西路大江冲 25 号
邮政编码：510300
新会印刷总厂印刷 各地新华书店经销
1997 年 9 月第 1 版 850×1168 1/32
2001 年 11 月第 3 版第 8 次印刷 印张 3.75
印数:70 201~82 200 册
ISBN 7－5062－3058－5/H·0057
出版社注册号：粤 014

定价：6.00 元

本书配录音带 2 卷（价另计）

●大学英语二级阅读理解测试	13.50 元
●大学英语二级听力测试	11.50 元
●最新汉英辞典	18.00 元
●最新英汉汉英两用辞典	30.00 元
●最新英汉双解辞典	14.00 元
●最新英汉双解五用辞典	24.00 元
●最新英汉医学缩略语词典	68.00 元
●宾馆职员英语会话	12.00 元
●售货员英语会话	9.50 元
●商用英语会话	6.00 元
●商用英文书信	11.00 元
●常用英语 3000 句	16.00 元
●银行职员英语会话	7.00 元
●新编初级英语选择填空	9.80 元
●新编初级英语阅读理解	7.50 元
●新托福听力①	6.50 元
●新托福听力②	6.50 元
●新托福听力③	6.00 元
●新托福听力④	7.00 元
●新托福听力⑤	7.00 元
●新托福听力⑥	7.00 元
●新托福题库	9.00 元
●英语会话指南一会话、语法、修辞	18.00 元
●餐馆职员英语会话	12.00 元

（以上单价不含音带价）

公司地址：广州市新港西路大江冲 25 号

邮政编码：510300　　电话：84451969

传真：84452177